PIRATES
2. La Fureur de Juracán

Catalogage avant publication de Bibliothèque et Archives nationales du Québec et Bibliothèque et Archives Canada

Bouchard, Camille, 1955-

Pirates

Sommaire: t. 1. L'île de la Licorne – t. 2. La fureur de Juracán.
Pour les jeunes de 12 ans et plus.

ISBN 978-2-89647-076-1 (v. 1)
ISBN 978-2-89647-104-1 (v. 2)

I. Titre. II. Titre: L'île de la Licorne. III. Titre: La fureur de Juracán.

PS8553.O756P57 2008   jC843'.54   C2008-940228-6
PS9553.O756P57 2008

Les Éditions Hurtubise HMH bénéficient du soutien financier des institutions suivantes pour leurs activités d'édition:

– Conseil des Arts du Canada;
– Gouvernement du Canada par l'entremise du Programme d'aide au développement de l'industrie de l'édition (PADIÉ);
– Société de développement des entreprises culturelles du Québec (SODEC);
– Gouvernement du Québec par l'entremise du programme de crédit d'impôt pour l'édition de livres.

Éditrice-conseil: Chantal Vaillancourt
Conception graphique: Kinos
Illustration de la couverture: Kinos
Mise en page: Martel en-tête

© Copyright 2008
Éditions Hurtubise HMH ltée
Téléphone: (514) 523-1523 • Télécopieur: (514) 523-9969
www.hurtubisehmh.com

ISBN 978-2-89647-104-1

Dépôt légal/4e trimestre 2008
Bibliothèque et Archives nationales du Québec
Bibliothèque et Archives du Canada

Imprimé au Canada

CAMILLE BOUCHARD

PIRATES
2. La Fureur de Juracán

CAMILLE BOUCHARD

Camille Bouchard, auteur prolifique, écrit depuis trente ans. À titre de journaliste d'abord puis à titre d'auteur depuis 1986. Plusieurs de ses romans ont été couronnés par des prix prestigieux tels les prix littéraires du Gouverneur général du Canada et le *White Ravens International List*. Son public principal est les adolescents, mais il écrit avec un égal plaisir pour les adultes et pour les enfants. Grand voyageur, il a exploré plusieurs pays d'Afrique, d'Asie et de l'Amérique du Sud. Enrichi de tous ses voyages et particulièrement passionné par la découverte de l'Amérique, les conflits qui opposèrent conquérants et autochtones au cours du XVIe siècle et les déboires des premiers Européens venus dans le Nouveau Monde lui ont inspiré la présente série.

La Fureur de Juracán est le deuxième tome de la série « Pirates ». Les aventures ont débuté avec *L'Île de la Licorne* et se poursuivront dans *L'Emprise des cannibales* et *Les Armes du vice-roi.*

Vous pouvez visiter le site Internet de cet auteur ou lui écrire :

www.camillebouchard.com
camillebouchard2000@yahoo.ca

À madame Jacinthe Fraser,
qui a compris la première.

« [Les conquistadors]
S'entre-poignardaient en se partageant
Les trahisons acquises,
Se volaient l'or et les femmes…
Centaures tombés dans la boue
de l'avidité. »

PABLO NERUDA
Canto General

Galion Ouragan

XVIᵉ siècle

LES MÂTS
1. Mât d'artimon
2. Grand mât arrière
3. Grand mât avant
4. Mât de misaine
5. Beaupré

LES VOILES
6. Civadière
7. Misaine (ici, carguée)
8. Petit hunier
9. Petit perroquet
10. Grand-voile
11. Grand hunier
12. Grand perroquet
13. Latine d'artimon

LES ŒUVRES ET GRÉEMENTS
14. Étai
15. Bout-dehors
16. Balcon
17. Dunette
18. Château de poupe ou gaillard d'arrière
19. Cordages pour monter dans les mâts : haubans (verticaux), enfléchures (horizontaux)
20. Hune (nid-de-pie)
21. Étrave
22. Vergue (ici, grande vergue)
23. Gouvernail
24. Quille
25. Coque (partie immergée se dit carène ou œuvres-vives ; partie émergée se dit œuvres-mortes)
26. Échelle de coupée

NOTES AUX LECTEURS

Pour insoutenables qu'elles paraissent, la majorité des scènes de violence décrites dans ce roman relèvent non pas de mon imagination, mais de témoignages issus de documents de l'époque. Le dominicain Bartolomeo de Las Casas, entre autres, témoin des innombrables sévices dont furent victimes les Amérindiens aux mains des Espagnols, cite plusieurs exemples de brutalité dans son texte datant du début du XVIe siècle, *Très brève relation de la destruction des Indes*. La cruauté des pirates s'inspire quant à elle — en majeure partie — de rapports d'observateurs du XVIIe siècle.

En ce qui a trait aux mœurs indigènes et à la vie dans les Caraïbes à cette époque, beaucoup de renseignements proviennent des documents suivants:

– *Décades du Nouveau Monde* de Pierre Martyr d'Anghiera (1526);

– *Les Singularitez de la France antarctique* du chanoine André Thevet (1557);

– *Histoire d'un Voyage Faict en la Terre du Brésil* de Jean de Léry (1580);

– *Dictionnaire caribe-français* du révérend père Raymond Breton (1615);

– *Manuscrit de l'inconnu de Carpentras* (1618-1620);

– *Voyages aux Isles* du Père Jean-Baptiste Labat (1725).

Puisque le récit est parsemé de nombreux termes maritimes, d'expressions venues du vieux français — et qui ne sont plus en usage de nos jours — ou de mots dérivés des dialectes indigènes de l'époque, l'éditeur et moi avons jugé bon d'insérer un glossaire à la fin de l'ouvrage et d'y renvoyer le lecteur au moyen d'un astérisque. Pour limiter le nombre de ces renvois, les mots qui apparaissent déjà dans le glossaire du tome 1 ne sont pas repris dans le glossaire du tome 2.

C.B.

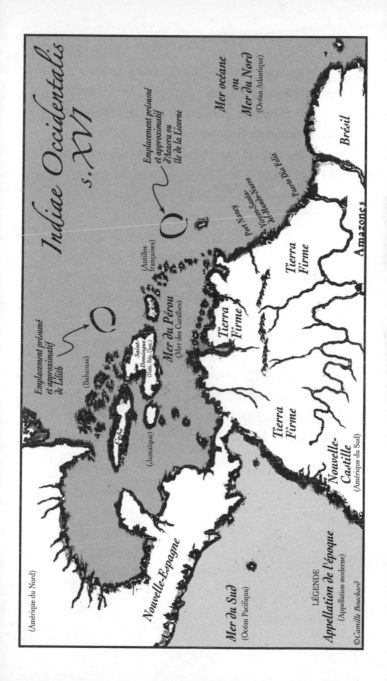

(Amérique du Nord)

Indiae Occidentalis
s. XVI

Emplacement présumé
et approximatif
de Lilith

(Bahamas)

Cuba

(Jamaïque)

Saint-
Domingue
(Haïti, Rép. Dom.)

Mer du Pérou
(Mer des Caraïbes)

(Antilles
françaises)

Emplacement présumé
et approximatif
d'Alcaera ou
Île de la Licorne

Mer océane
ou
Mer du Nord
(Océan Atlantique)

Port Nancy
Vierge-Sainte
Mundo-Nuevo
Puerto Día Félix

Tierra
Firme

Tierra
Firme

Nouvelle-Espagne

Tierra
Firme

Nouvelle-
Castille
(Amérique du Sud)

Brésil

Amazones

Mer du Sud
(Océan Pacifique)

LÉGENDE

Appellation de l'époque
(Appellation moderne)

©Camille Bouchard

1

Milieu du XVIᵉ siècle, quelque part
dans le Nouveau Monde

Un nuage, petit, solitaire, lumineux, oscille de gauche à droite, de droite à gauche, tel un enfant sur une escarpolette. Une poule d'eau traverse le ciel, part à reculons, en avant de nouveau, à reculons encore. La voûte céleste se balance au-dessus d'Urbain. La longue branche de gommier à laquelle il est suspendu par les poignets et les chevilles sépare le firmament en deux. Un cordage tressé de lianes lui laboure la peau, l'écorchant si bien que de longues coulisses de sang dessinent des traînées pourpres sur ses avant-bras et sur ses jambes.

En renversant la tête en arrière, il distingue, sens dessus dessous, derrière le ventre de l'un des Naturels qui portent la branche sur leurs épaules, les matelots qui partagent son sort. Ils font partie des chanceux qui n'ont pas été massacrés dans la bataille. Ils sont six, peut-être sept, chacun attaché à une perche de gommier, qu'on transporte du port vers l'intérieur du comptoir espagnol appelé pompeusement Virgen-Santa-del-Mundo-Nuevo.

Au moment de passer les pieux qui grattent le ciel de leur pointe effilée, Urbain s'intéresse à ce qu'ils abritent. Partout, des hommes s'affairent ; des Blancs manient l'épée ou la cravache en dirigeant les Indiens qui déplacent des pierres, étendent du mortier, érigent des remparts plus solides. Il y a peu, on ne trouvait ici qu'une vulgaire palanque, c'est-à-dire un lieu protégé de palissades. Maintenant, on bâtit de vraies fortifications, une redoute. Les Espagnols appellent une place forte de ce genre un *presidio*, un préside. Voilà qui est beaucoup pour un simple point d'échanges entre les Sauvages des Indes occidentales — qu'on appelle les *Amériquains* — et les marchands de passage. Urbain conclut plutôt qu'on a trouvé suffisamment de richesse dans les environs pour justifier un tel effort de renforcement.

Les rumeurs disent donc vrai.

À part quelques sauvagesses nues, on ne trouve guère que des hommes dans l'agglomération. Chacun regarde passer le cortège de prisonniers, qui avec un rictus amusé sur les lèvres, qui avec une moue de mépris, profitant de cet instant de pause pour boire et essuyer la sueur sur son visage. Il n'y a pas de rues, pas de vraies maisons: des bâtiments rustiques faits de rondins, un abri en guise de chapelle, et une construction plus élaborée, fabriquée de pierres, où loge le commandant de ce détachement espagnol avec ses plus proches collaborateurs.

Dispersés ici et là, et de superficies diverses, on distingue des potagers où poussent haricots, fèves, giraumons, patates, ignames, yuccas et autres racines comestibles. Il y a un enclos à cochons, une écurie, une place centrale avec un foyer où des chiens se disputent les restes du rôti de la veille.

— Attendez ici.

Le *teniente*, ou lieutenant, responsable de la colonne pénètre dans la bâtisse en pierres. Il réapparaît après un moment accompagné de trois hommes vêtus d'un plastron, une longue rapière au côté. Urbain redresse la tête de façon à pouvoir les observer à l'endroit et mieux les détailler. Rapidement, il se désintéresse des deux premiers pour se concentrer sur celui qu'il a reconnu, non point pour l'avoir déjà vu, mais pour la description qu'on lui en a faite : *el capitán* Luis Melitón de Navascués.

Rien que son visage prête à frémir, point tant à cause de sa laideur qu'à cause de la dureté de ses traits. On dirait qu'il a été dessiné à angles droits par un peintre qui n'avait, pour exercer son art, qu'une plume coupée en biseau. Des pommettes osseuses et pointues saillent au-dessus de ses joues creusées comme des fosses, symbole des centaines de cadavres qui gisent sous terre par le fer de son épée ou par ses ordres donnés. Pour accentuer cette image, une épaisse barbe grisonnante lui mange le visage telles les racines des herbes qui envahissent à foison les terres enrichies de charogne. Il arbore d'épais sourcils couleur de cendre qui masquent ses paupières et ne laissent sourdre, au milieu des orbites enténébrées, que la lumière à la fois pâle et effrayante de ses yeux clairs. Peut-être le *capitán* Luis Melitón de Navascués était-il séduisant à l'époque de sa jeunesse, mais aujourd'hui, passé la quarantaine, le reflet argenté de ses pupilles ressemble trop à l'éclat de son armure et de sa rapière pour produire autre effet que sa férocité.

— Ce sont les pirates du capitaine Cape-Rouge? demande-t-il avec une voix ayant la raucité de celle du corbeau.

— Non, Excellence, répond le *teniente*. Il ne s'agit que de banals forbans d'eau douce que nous avons surpris près des côtes. De fichus Français; des *corsarios luteranos**. Ils ont approché notre nef, croyant y voir là une proie facile, mais lorsque nous avons hissé les couleurs de Castille et viré bâbord amures* pour les affronter, ils ont tenté de fuir incontinent*.

— Et leur navire?

— Un vulgaire chébec*, Excellence, que nous avons pris soin de couler.

Le lieutenant désigne les prisonniers et précise:

— Ces quelques drôles sont les seuls survivants. Tous les autres ont été passés au fil de l'épée ou se sont noyés, y compris leur capitaine. Ils étaient deux douzaines environ.

Le *capitán* Luis Melitón de Navascués s'approche d'Urbain pour mieux l'observer. Il s'attarde une seconde sur la chevelure longue et touffue comme celle d'une femme, que le marin a nouée à l'arrière en un chignon confus. Il remarque aussi sa barbe noire ébouriffée, sa chemise en lambeaux. Plissant le nez, l'officier s'exclame:

— ¡ *Madre de Dios* ! Qu'il est sale, celui-là ! Il grouille de poux même dans le poil de sa poitrine et on voit des bestioles qui rampent dans les plis de sa chemise ! On dirait des asticots. Et là, ce sont des punaises géantes ?

Le *teniente* rit en rétorquant :

— C'est sans doute pourquoi il est toujours en vie, Excellence. Aucun de mes hommes ne voulait s'en approcher assez pour lui passer l'épée à travers le corps.

— Encore heureux qu'il ait la barbe généreuse jusqu'au bas des yeux, se gausse un sergent, car si elle abrite une autre pouillerie, elle dérobe à la vue sa peau grêlée par la vérole et les furoncles.

— Il a fallu obliger les Sauvages à l'attraper et à l'attacher, poursuit le lieutenant, sinon il aurait coulé avec le chébec. Remarquez, ça n'aurait pas été plus mal.

Le rire du *capitán* résonne comme des ongles qui grattent la pierre. Il reprend son souffle en jetant un vague regard en direction des autres prisonniers.

— Bien, conclut-il enfin. Vous me les brûlerez vifs ; ça fera un exemple et nettoiera la vermine par la même occasion. Ensuite, vous pendrez ce qui restera de leur carcasse à l'entrée du port. Ça effraiera peut-être un peu ce diable de Cape-Rouge.

— Non, Votre Grâce! s'exclame Urbain. Par Dieu, ayez pitié!

Surpris, le lieutenant et le capitaine s'intéressent de nouveau au prisonnier.

— Voyez-vous ça, ricasse Melitón de Navascués. Le parpaillot* entend l'espagnol.

— Ma mère était une bonne catholique de Castille, réplique Urbain en mentant sans vergogne. Une vraie chrétienne, comme moi, comme vous, Votre Grâce. Je partage votre foi profonde, votre grande dévotion en Notre Seigneur Jésus-Christ et en sa mère, la Très Sainte Vierge Marie. Ayez de la compassion pour le pauvre hère que je suis, que la destinée a forcé à s'enrôler avec une bande de brigands. Faites de moi votre esclave, mais je vous en prie, ne me montez pas sur le bûcher où j'y perdrais mon âme que Belzébuth se ferait une joie de s'approprier.

Les yeux clairs du *capitán* renvoient une lueur qui ressemble à celle d'une lame bien affilée qu'on agite au soleil. Il fait un pas vers Urbain — guère plus, pour se prémunir de la vermine — et feule de sa voix rauque:

— C'est vrai qu'en toute chose, j'agis au nom du Christ. Je suis le bras armé de la Vraie Foi. Dieu m'a donné mission d'étendre les frontières des terres chrétiennes en repoussant les Sauvages, ces bêtes sans âme que s'efforcent de protéger quelques moines aveuglés. J'ai aussi mission sacrée d'empêcher toute tentative des réformateurs de polluer le Nouveau Monde de leurs croyances maudites.

Il avance le nez de quelques centimètres vers Urbain, diffusant encore plus de feu avec ses prunelles. Il poursuit :

— Et pour ce faire, j'userai de tous les moyens à ma disposition pour repousser Lucifer et ses œuvres de mon chemin. Alors, non seulement tu iras au bûcher avec tes sbires, mais tu monteras le premier.

— Mort de mes os ! se lamente un prisonnier qui n'a guère plus de quinze ans. On va nous enflammer comme de vulgaires cochons rôtis. Ma mère ! Ma mère ! Viens à mon secours.

— Ta mère est bien loin, le Gascon, ronchonne un autre captif à la chevelure rousse.

Laisse-la tranquille et fous-nous la paix par la même occasion.

— J'ai faim, moi, j'ai faim, se lamente un matelot un peu rond qu'on connaît surtout, non pas pour ses faits d'armes, mais pour sa manie de manger et trinquer à tout instant. Va-t-on nous servir à manger, depuis plus d'un jour que nous sommes ici ? Déjà que sur le chébec, nous en étions à notre troisième journée de jeûne. J'ai faim.

Urbain ne dit mot. Depuis des heures qu'il arpente tout le périmètre de la cage dans laquelle s'entassent les sept pirates, qu'il cherche la moindre faille dans la structure faite de bois dur, dans les câbles serrés qui retiennent les pieux servant de barreaux, qu'il scrute le moindre centimètre de boue qui tient lieu de plancher, il doit se rendre à l'évidence : leur prison est solide. Même la porte, si elle ne repose pas sur des gonds de métal, pivote sur des charnières de cordes liées si bien qu'elles sont impossibles à dénouer. S'il veut parvenir à s'en échapper, il lui faudra user de ruse... et de ses leurres personnels.

— On n'aurait jamais dû suivre ce minable capitaine de Honfleur, ce Tourtelette, qui nous promettait proies faciles et richesses, gémit un homme avec une large blessure suintante sur la poitrine. Sa gueule ne me disait rien aussi. J'aurais dû me fier à mon instinct.

— Et ton instinct onques* ne t'a suggéré de ne pas te faire pirate? ricane le rouquin.

— Ce capitaine est mort au combat, dit le gros homme. Laisse-le en paix. Oh, que j'ai faim!

— Ouais, il est mort et ce soir, il soupe en enfer. Alors, heureux sois-tu si tu as simplement faim.

Le visage glissé entre deux pieux, les joues contre le bois humide, Urbain observe la vie dans Virgen-Santa-del-Mundo-Nuevo. La cage où ils sont enfermés se trouve près d'un appentis, acculée à une masse rocheuse que coiffent les racines terreuses d'un kapokier géant. Les mousses grasses de la jungle dégoulinent dans leur prison, ajoutant humidité et vermine à cet abri déjà fort incommode. Deux Naturels armés de zagaies* montent la garde.

De l'angle où il est placé, Urbain parvient à distinguer une partie de la place centrale où les Espagnols se réunissent. On se prépare à faire carrousse, peut-être pour célébrer la prise du bateau pirate, peut-être simplement parce qu'il en est ainsi tous les soirs. Toutefois, avec un commandant aussi strict que le *capitán* Melitón de Navascués, il peut plutôt s'agir d'un événement exceptionnel. Une troupe de cinq Amériquains a ramené un énorme pécari chassé dans la jungle. Embrochée au-dessus du feu, la bête servira d'ordinaire pour les soldats. Ce qui restera ira aux Sauvages, et les os aux chiens. Rien pour les prisonniers, c'est certain.

— Je l'ai! s'écrie tout à coup le rouquin. Je l'ai! Ha, ha, ha!

Urbain tourne la tête pour apercevoir le pirate tenant la queue d'un rat de taille moyenne qui gigote dans l'air.

— Formidable! s'exclame le jeune Gascon. Prends garde qu'il ne te morde.

— Aïe!

— Je te l'avais dit.

Grimaçant de douleur, mais refusant d'abandonner sa proie, le rousseau agite le rat pour lui faire lâcher prise et, d'un large arc de cercle, le propulse contre la masse pierreuse. La tête de la bestiole éclate dès la première tentative, et les prisonniers se jettent sur l'animal pour le dépecer avec leurs ongles et le dévorer cru.

— T'en veux? demande le rouquin à Urbain.

— Non, répond ce dernier en s'intéressant de nouveau à l'animation dans la bourgade.

— Je mange ta part, alors.

— Eh! Pourquoi pas moi? demande l'homme rond, une coulisse de sang à la commissure des lèvres. Je suis plus gros que vous. J'ai besoin de plus de nourriture.

— Parce que c'est moi qui l'ai attrapé, réplique le rousseau en mordant dans la chair encore chaude et en recrachant une parcelle de peau couverte de poils.

Une agitation sur la droite, derrière l'angle de l'appentis, attire l'attention d'Urbain. Un jeune Naturel, un Kapon* sans doute, tente d'échapper à quatre Espagnols en colère. Il va y parvenir en franchissant l'espace libre qui mène à la porte des fortifications quand, soudain, trois chiens surgissent aux côtés des Blancs. En cinq enjambées, les molosses ont rejoint le fuyard et le renversent. Le garçon n'est pas sitôt à terre que le premier dogue le saisit à l'abdomen et lui ouvre les entrailles. Rendus fous par l'odeur du sang, ses deux compères participent à la boucherie en se disputant la tripaille, traînant les viscères dans la boue et la poussière. L'expression atterrée, le garçon découvre ses intestins mêlés de sang et de saleté couvrant le sol. Il esquisse un mouvement pour les saisir, mais agonise sous les crocs de l'un des mâtins qui vient de lui sauter à la gorge.

— Vous laissez faire ça?

Les deux gardes amériquains qui fixaient la scène tournent un regard surpris vers Urbain.

— Vous laissez faire ça? répète ce dernier dans la langue caribe.

— Tu parles un dialecte qui nous est familier, s'étonne l'un des gardes. C'est rare chez les *yares**.

— Pourquoi laissez-vous les Castillans massacrer les vôtres de la sorte? demande Urbain. Pourquoi vous laissez-vous humilier?

— Ce garçon a dû dérober quelque chose encore une fois, répond le Naturel le plus près. Il ne s'habitue pas... ne s'habituait pas au fait que les Blancs ne partagent pas leurs outils à moins qu'on demande la permission.

— Même si on a l'intention de remettre la chose à sa place après son utilisation, précise le deuxième homme, il faut demander la permission.

— C'est un Kapon, indique le premier Amériquain en désignant de sa zagaie la masse sanguinolente que les chiens achèvent de dépecer. On dirait que cette tribu comprend moins vite que nous, les Tupinambás.

— Ça méritait la mort, selon vous ? insiste Urbain. Une mort aussi atroce ?

L'un des Naturels a un mouvement de tête qui exprime son incertitude. Le second réplique :

— Celui-ci a été chanceux. Ces chiens sont dressés pour ne s'attaquer qu'aux entrailles de l'ennemi…

Il se prend le ventre et précise :

— C'est pour qu'il meure lentement. Mais le gros chien, là, était trop excité, je suppose ; il l'a attrapé à la gorge. Les zemís du Kapon lui ont été favorables.

— Les yares nous font souvent bien pire pour bien moins, ajoute l'autre Tupinambá.

— Pourquoi les servez-vous, alors ?

Les deux hommes se regardent, mais ils n'osent pas regarder Urbain dans les yeux.

— Si nous refusons, ils nous massacreront. Nos femmes et nos enfants en premier. Nos villages ne sont pas loin d'ici. Nous ne sommes pas assez nombreux pour nous rebeller et nos armes sont moins puissantes que leurs bâtons qui crachent la foudre et le métal.

Le jeune Gascon s'approche d'Urbain et demande :

— Tu parles la langue des Sauvages ?

Urbain répond d'un grognement.

— De quoi discutez-vous ? Ils nous aideraient à nous échapper ?

Urbain s'adresse aux Naturels.

— Si nous promettions de vous aider à combattre les Espagnols, nous aideriez-vous à fuir ?

Avant que les Naturels puissent répondre, des appels se font ouïr à l'entrée des fortifications, exigeant à force cris qu'on ouvre les portes. Les sentinelles s'exécutent et, même de cette distance, dans la pénombre du crépuscule, les prisonniers peuvent distinguer une dizaine de soldats espagnols qui arrivent. Au milieu d'eux marchent une quinzaine d'esclaves amériquains, certains lestés de lourdes charges, d'autres portant les brancards d'un appui fait de rondins sur lequel reposent jarres, coffres ou mantes transformées en ballots.

Le bruit attire les officiers du fort, dont le *capitán* Luis Melitón de Navascués qui émerge du bâtiment en pierres avec, à sa suite, son lieutenant, son page, son barbier même, puis un *alférez** et deux sergents. Chacun paraît de fort bonne humeur.

— Qu'est-ce que c'est? demande Urbain.

— C'est une expédition partie il y a plusieurs jours, répond un guerrier tupi-nambá. Elle rapporte des biens saisis dans une cité secrète que les *yares* ont découverte dans les profondeurs de la forêt.

— Païtiti?

Le Naturel jette un œil soupçonneux à Urbain.

— Tu connais ce nom?

— La cité cachée des Incas.

— Certains le disent, mais nous sommes trop loin des limites de cet empire. Ce n'est pas Païtiti.

— L'Eldorado?

— Ça n'existe pas.

— Cette cité cachée semble regorger d'or, pourtant.

Le Tupinambá remarque l'éclat cupide qui vient de s'allumer dans l'œil d'Urbain.

— Les Blancs, souffle-t-il en s'éloignant en compagnie de son second, vous êtes tous fous.

2

— Vont-ils nous aider?

Le jeune Gascon a murmuré à l'oreille d'Urbain. Tous deux sont retranchés dans un coin de la cage à l'écart des cinq autres prisonniers. Ces derniers préfèrent l'angle le plus renfoncé dans la paroi rocheuse, ce qui les prévient de l'humidité qui goutte du surplomb.

— Les Tupinambás? réplique Urbain. N'y pense pas, ils ont trop peur. Et puis, ils ne croient pas un instant qu'on les seconderait ensuite contre les Espagnols.

— On est perdus, hein? Perdus?

Urbain, de ses deux mains, gratte en même temps sa tête et sa poitrine, harcelées par un regain d'activité des poux. Sans se soucier du détail, il répond:

— Peut-être.

Il guigne vers les deux gardes qui se sont assis à l'écart pour exercer leur surveillance. Plus loin, sur la place centrale, il distingue les soldats qui, le souper terminé, font honneur à la guildive. Certains jouent à l'espinay*, d'autres au béliné*, d'autres encore regagnent leurs quartiers. Le feu, déjà, troque ses hautes flammes pour les braises, rabattant chaque minute plus d'obscurité sur la place.

Urbain se retourne vers la mine inquiète du jeune Gascon pour tempérer :

— Peut-être qu'on est perdus… et peut-être pas.

— Tu as un plan ?

— Attendons la nuit complète.

Deux heures s'écoulent encore. Des ronflements se font ouïr des quartiers des soldats aussi bien que du bâtiment des officiers ou de l'enclos des esclaves. De rares chiens maraudent encore autour des restes du souper ou du cadavre du Kapon. Deux sentinelles espagnoles arpentent les murs, mais à grande distance des prisonniers. Le ciel est sans lune, sans étoiles même. L'obscurité est si profonde du côté de la cage qu'Urbain ne distingue plus le visage du jeune Gascon, sauf quand l'angle lui permet de recevoir un éclair timide venu du feu modeste que les Tupinambás ont allumé à leurs pieds.

— Comment t'appelles-tu ? murmure Urbain.

— Tu l'ignores encore ? s'étonne le garçon.

— J'étais la dernière recrue, moi, de ce mauvais corsaire de Honfleur. Je n'ai pas eu le temps de retenir le nom de tous.

— Je m'appelle Lionel.

— Bien. Alors, Lionel, écoute-moi attentivement.

Un ronflement du gros pirate — qui a fini par s'endormir malgré la faim — succède à un gémissement de celui dont la poitrine est barrée par une large blessure. Quand, après plusieurs secondes, le silence revient, Urbain murmure à son compagnon :

— Tu sais pourquoi je tolère une pareille pouillerie sur moi ?

Lionel, d'instinct, se recule comme si cette seule question pouvait le contaminer. Lui-même, pourtant, à l'instar de tous ses compagnons, trimballe aussi son lot de poux. À leur décharge, aucun d'eux n'endure autant de vermine qu'Urbain. Ce dernier poursuit :

— Ça permet de décourager ceux qui me voudraient fouiller.

— Et si on te fouillait, qu'est-ce qu'on trouverait ?

— Voilà une question intéressante, chuchote une troisième voix.

— Tiens ? Le rousseau.

— Je m'appelle Hubert.

— Alors, Hubert et Lionel, sachez que dans ma tignasse, j'ai un couteau.

— Le coquin ! ricane l'homme roux. Tu es chanceux que les Sauvages ne l'aient point trouvé quand ils se sont saisis de toi.

— Tu penses ! Ils avaient trop hâte de s'éloigner de ma crasse.

Le dénommé Hubert étouffe un rire qui ressemble à un rot. Urbain murmure :

— Voici ce que nous allons faire.

— Ho ! Les guerriers ! lance Urbain avec juste le ton qu'il faut pour attirer l'attention des deux Tupinambás sans ameuter tout le préside.

Quand ils se tournent vers lui, on les distingue à peine à la lueur du feu brasillant.

— La langue me pèle, on crève de soif, ici. Il n'y aurait pas moyen de nous bailler un peu de vin ou de guildive ?

— Les ordres sont formels, répond l'un des Naturels. On ne vous fournit rien.

— Vous ne pâtirez pas de soif longtemps, ajoute le second sans la moindre ironie. Vous serez exécutés à l'aube.

— Rien qu'un peu à laper, insiste Urbain. Pas de quoi se saouler. Qui le saura ?

— Je ne prendrai pas un risque aussi inutile pour voir les chiens me sauter au ventre, réplique le premier Tupinambá.

— La désobéissance au *capitán*, même la plus minime, précise le second, est punie d'atroces manières.

— Allez ! Soyez compatissants. En retour, je vous dirai où nous avons caché des armes qui crachent le feu. Vous pourrez les utiliser pour vous rebeller contre les Espagnols.

Les Naturels échangent un regard difficile à interpréter à cause de la distance et de l'obscurité. Le premier demande :

— Avec les bâtons de tonnerre, il y a cette poussière noire aussi ? Et ces billes ?

— Tout ce qu'il faut pour en user. Cinq quintaux de poudre et des centaines de plombs.

— Il y en a beaucoup, des bâtons de tonnerre ?

— Une centaine au moins. Ils viennent d'un navire que nous avons attaqué, il y a peu. Vous trouverez aussi des couteaux et des haches, taillés dans ce métal dur que vous appréciez tant.

Les Tupinambás se lèvent et le premier avance de quelques pas tandis que le second reste légèrement en retrait.

— Et pourquoi nous donneriez-vous ces armes?

— Nous allons mourir demain matin, répond Urbain; elles ne nous serviront plus jamais. Autant les remettre entre les mains d'hommes — de braves guerriers — qui s'en serviront contre les Espagnols.

Les deux Amériquains hésitent, se regardent de nouveau, font mine de vouloir se rasseoir. Urbain insiste:

— Allez! Cette information vaut bien son pesant de sel, et on vous l'offre seulement contre un peu de vin. Ne nous laissez pas aller au bûcher avec une langue déjà desséchée.

Les Tupinambás murmurent quelques secondes entre eux puis l'un disparaît derrière l'appentis. Il revient au bout d'un instant avec une gourde en peau de chèvre. Il s'approche de la cage; son compagnon reste deux pas derrière, sa zagaie brandie à la hauteur de l'épaule.

— Ah! Merci! Merci! chuchote Urbain. Vous ne le regretterez pas.

Il tend une main entre les barreaux pour se saisir de la gourde, mais le Tupinambá la retire vivement.

— L'information d'abord, l'eau-de-vie après.

— Oh, ce que tu es dur en affaires, toi! Mais bon, ça va, c'est de bonne guerre. Écoute…

Le Tupinambá fait un pas de plus vers la cage, imité par son compagnon. Il penche le corps un brin vers l'avant, comme pour inviter Urbain à parler encore moins fort. La gourde lui échappe des mains. Il n'a pas eu le temps de ressentir la douleur. Il a aperçu un vague mouvement du bras du prisonnier, puis ce fut tout. Une lame de poignard, longue comme un doigt et large de deux, s'est fichée dans son œil en touchant le cerveau.

Le Naturel s'écroule à la seconde même où Hubert et Lionel abattent la porte de la cage. Charnières et serrure de corde, coupées au préalable grâce au couteau d'Urbain, se dégagent, et la structure tombe sur le deuxième Tupinambá qui amorçait déjà un mouvement pour lancer sa zagaie à travers les barreaux.

Urbain le frappe à son tour, d'abord à la gorge, pour l'empêcher de crier, ensuite à la tempe, pour l'immobiliser de manière définitive.

— Que?... Qu'est-ce qui se passe? demande le gros pirate que le bruit a réveillé.

— Ta gueule! lui ordonne Hubert. La voie est libre, et nous, nous filons. Toi, tu fais ce que tu veux.

Sa phrase n'est pas sitôt achevée que, déjà, il déguerpit à la suite d'Urbain et de Lionel.

— Mais... mais, par ma foi! balbutie le gros pirate. Ils nous abandonnent, ces trois-là.

En gestes précipités pour se relever, il bouscule l'homme blessé qui gémit fortement, réveillant à leur tour les deux autres prisonniers, Pierre et Jacques.

— Que se passe-t-il? demande le premier.

— On nous amène déjà au bûcher? s'effraie le second.

— La voie est libre! lance le gros en oubliant de murmurer. Filons d'ici.

Il bute contre la porte qui repose sur le corps des Tupinambás et perd l'équilibre. Bloquant maintenant le passage, il fait perdre de précieuses secondes à ses compagnons d'infortune qui le suivent d'un pas.

— Pousse-toi de là, gros tas de fiente! clame Pierre. A-t-on déjà vu plus maladroit?

— Ne me laissez pas! lance l'homme à la blessure, toujours étendu au fond de la cage. Aidez-moi à me relever.

— Toi, si tu n'as plus la force de marcher, crève! rétorque Jacques en enjambant le corps du gros homme qui, les jambes coincées entre deux barreaux, tente de se dépêtrer de la porte.

— Par où passer? demande Pierre à son compagnon qui vient de le rejoindre hors de la cage. C'est bloqué de tous côtés. Où sont les autres?

— Là! réplique Jacques en pointant un doigt au-dessus de lui. Ils ont grimpé sur la cage.

Tous deux voient disparaître Lionel qui, aidé d'Urbain et d'Hubert, s'est hissé à la force des bras sur les racines du kapokier. Il atteint le surplomb rocheux.

— Les prisonniers s'échappent! crie une voix en provenance de la cour principale.

— Mordiou! jure le gros pirate qui se débat encore pour se libérer de la porte. Ils vont nous reprendre.

— Aidez-nous! hurle Pierre aux trois hommes qui ont disparu au-dessus d'eux.

— Fais-moi la courte échelle! dit Jacques à Pierre. Une fois sur la cage, je te hisserai à mon tour.

Déjà, un premier coup de feu tiré par une sentinelle ébranle la place. La mitraille se perd sans atteindre aucun des prisonniers, mais d'autres soldats apparaissent entre les bâtiments. Des Naturels arrivent aussi, tenant des torches à bout de bras.

— Alerte! hurle un Espagnol qui semble s'adresser à quelqu'un de beaucoup plus petit que lui et qui n'est pas visible de cet angle. Allez! Attaquez!

— Mordiou! jure de nouveau le gros pirate qui a enfin réussi à se remettre debout. Les chiens!

— Vite! lance Pierre à Jacques. Dépêche-toi de grimper et de me tirer avec toi. Les mâtins seront sur nous dans cinq secondes.

— Les chiens! répète le gros pirate qui, en voulant fuir vers l'arrière des bâtiments, se heurte à Pierre.

Les deux hommes perdent l'équilibre tandis que Jacques reste pendu par les mains aux barreaux supérieurs de la cage. En mouvements affolés avec sa jambe dextre*, il tente de prendre appui sur le sommet, mais son pied ne trouve aucune prise. Soudain, une douleur terrible à la cuisse lui arrache un hurlement; une force irrésistible le tire au sol. Il tombe sur un mâtin qui, incontinent, se rue sur son ventre.

— Non! hurle Jacques en cherchant à repousser les crocs de ses mains nues. Non! À moi!

Mais déjà un autre dogue est sur lui et Jacques sait bien que personne ne viendra à son secours. L'une des dernières images qu'il perçoit avant de perdre connaissance est celle du gros pirate dont un chien s'acharne à arracher le visage.

De son côté, Pierre, qui a réussi à se dégager du pansu, tente à son tour d'atteindre le haut de la cage. Tandis qu'il saute en vain, incapable de s'accrocher aux travers, les soldats rejoignent leurs bêtes. Sans sommation et à bout portant, un Espagnol lui tire une décharge d'arquebuse dans le dos. Pierre s'écroule aussitôt, la colonne vertébrale séparée en deux et le cœur réduit en charpie.

— Où sont les autres?

Un *alférez* vient de surgir en queue de chemise et en haut-de-chausses, sans plastron, mais l'épée à la main.

— Il ne reste que le blessé au fond de la cage, répond un troupier. Les autres ont disparu.

— Combien sont-ils?

— Trois.

— Par où sont-ils partis?

— On ne sait pas, on ne les a pas vus. Mais ceux-là tentaient de monter sur la cage pour atteindre le surplomb.

— Eh bien, c'est que leurs acolytes ont fui par là, *estupido*! Poursuivez-les!

Pendant qu'on amène une échelle de l'appentis, d'autres officiers arrivent, dont le *capitán* Luis Melitón de Navascués. Déjà revêtu de son uniforme, comme s'il dormait tout habillé, le commandant de la place évalue rapidement la situation. Il demande à son *alférez*:

— Ceux qui manquent ont-ils fui ensemble?

— On le pense, Excellence. Aucun chien n'a flairé de pistes autour.

L'*alférez* pointe le pouce par-dessus son épaule, montrant une dizaine de soldats qui se hissent sur la prison, et ajoute:

— Ils se sont échappés par le surplomb.

Le commandant se saisit de la torche d'un esclave kapon pour examiner la porte au sol. Il remarque les bouts de corde coupés au couteau et ricane.

— Il est malin, ce pirate plein de poux, murmure-t-il pour lui-même. J'aurais dû me méfier de son air innocent. Il m'a bien eu.

Luis Melitón de Navascués se relève et, désignant de la torche les hommes qui gravissent l'échelle, ordonne à son lieutenant :

— Prends le commandement. Et ramène-moi les prisonniers morts ou vifs.

— Oui, Excellence.

Le *capitán* retient son subalterne au moment où celui-ci va tourner les talons.

— Non, pas morts, se ravise-t-il, je les veux vivants. Le pouilleux, en tout cas. Les autres, je m'en fous. Mais le vermineux, je veux qu'il agonise devant moi. Lentement.

Et il conclut, les yeux aussi enflammés que l'enfer :

— En hurlant de souffrance.

3

Urbain se campe au plus profond de la coupe, là où le tronc de l'arbre se sépare en deux embranchements. Dissimulé par la feuillaison et l'obscurité, il attend que le bruissement du passage des soldats se soit évanoui.

«Ils sont au moins dix, songe-t-il. Peut-être douze.» Il évalue le nombre en fonction du temps mis par les hommes pour franchir le voisinage de l'arbre. «Aucun chien, comme je le pensais.»

Il sent qu'on le touche à l'épaule. Il tend l'oreille et écoute la voix d'Hubert qui murmure:

— Ils sont passés. On y va?

— Peut-être qu'il y a une arrière-garde; attendons encore deux minutes.

— Pas plus. Ceux d'en bas vont passer la palissade avec les chiens. Ils vont contourner le surplomb et soit nous surprendre, soit nous couper la retraite.

Urbain donne deux petites tapes sur l'épaule d'Hubert pour lui signifier son accord et l'inviter en même temps à ne plus parler. Trente secondes plus tard, un détachement supplémentaire de quatre hommes emprunte la piste des soldats précédents. Cette fois, dès que le silence indique que les traqueurs se sont éloignés, Urbain se redresse et descend de l'arbre. Aussitôt, Hubert et Lionel apparaissent à ses côtés.

— Et maintenant, au port!

Le plus silencieusement du monde, masqués par la nuit, achoppant souvent contre une souche ou un arbuste, les trois fuyards s'éloignent de la compagnie à leurs trousses en contournant les fortifications en contrebas. Lorsque le terrain se met à redescendre et qu'ils se retrouvent en terrain plat, ils s'orientent d'après le bruit du ressac qui s'entend par-dessus les babils du feuillage et des animaux nocturnes.

Bientôt, la sylve se fait moins touffue et la lueur de quelques lampes perce l'opacité de la frondaison. On oit le clapotis de l'eau contre la coque des embarcations et les infrastructures portuaires. Se distinguent aussi le grincement des gréements d'un navire au mouillage et le chuintement de ses

voiles ferlées*, pareil à la respiration d'une
bête endormie. Un pavillon claque à l'occasion sous les hoquets du régime de brises.

— On aborde la caravelle? ironise
Hubert.

— Tu crois qu'à nous trois, armés de mon
seul couteau, on peut prendre possession du
bateau? rétorque Urbain sur un ton moins
humoristique.

— Et lui faire tenir la mer? ajoute Lionel,
essoufflé.

— Quand on nous a débarqués avec les
autres prisonniers, reprend Urbain, j'ai repéré
une allège* au quai. Elle est dotée d'une voile
à livarde*. Si on s'en saisit, avec ce vent de
terre, on pourra longer la côte au-dessus des
hauts-fonds. Les Espagnols ne pourront pas
nous pourchasser avec leur caravelle et les
barques à rames seront moins rapides que
nous. En une heure, deux au plus, nous
serons à l'abri.

— D'accord, approuve Hubert.

Avec les bras, Urbain s'ouvre un passage
dans une talle d'arbuscules et chuchote:

— Pressons avant que les soldats ne son-
gent à patrouiller dans le port.

Les trois fuyards s'efforcent de rester en
dehors des zones illuminées par les lampes

des vigiles sur la caravelle. Si l'anse est étroite, elle est tout de même suffisamment profonde pour permettre à un navire de ce tonnage de mouiller près de la terre ferme. Au voisinage du bâtiment, une dizaine d'esquifs de tailles plus modestes, embarcations de pêcheurs, batelets, nacelles ou pirogues, s'agrippent au quai ou à une racine de palétuvier. Rapidement, les trois Français retrouvent l'allège attachée à une souche en guise de bitte d'amarrage.

— Mort-Diable! jure Hubert. Il y a quelqu'un à bord.

— Tant pis pour lui! réplique Urbain. Il n'avait qu'à choisir un autre endroit pour dormir.

— Urbain! Hubert! appelle Lionel tout à coup.

— Quoi? répond Urbain qui a déjà tiré son couteau pour attaquer l'homme dans l'embarcation.

— Là-bas!

Le jeune Gascon vise de son indice, le premier doigt*, le sentier qui mène à l'agglomération. Avant même de distinguer quoi que ce soit dans la pénombre, Urbain et Hubert devinent: les chiens arrivent! Un premier aboiement entraîne des réponses en cascade de toute la meute, et les ordres d'attaquer lancés par les soldats espagnols finissent d'ébranler la quiétude de la nuit.

— Saute dans l'allège! ordonne Urbain à Lionel. Puis, à Hubert, il commande : Détache l'amarre. Vite !

— Que ?... Qu'est-ce qui se passe ? demande en espagnol la silhouette qui se lève du fond de l'embarcation.

— Il se passe que le diable t'appelle ! rétorque Urbain en plantant la lame de son couteau dans la poitrine de l'homme.

De sa main libre, il pousse sur l'épaule de sa victime, ce qui lui permet, dans un seul mouvement, de renverser la dépouille par-dessus bord tout en retirant son arme. Puis, se tournant vers Lionel, il ordonne :

— Sers-toi des rames comme d'une gaffe pour nous éloigner du bord, je m'occupe de la voile.

Urbain sectionne les cargues* qui libèrent une livarde tortueuse à laquelle s'accrochent deux aunes* de toile usée. La brise s'en saisit incontinent, enflant la voile dans un grince-ment du mât qui ébranle l'allège et la fait tressauter sur les flots.

— Vite! hurle Urbain à Hubert qui lutte avec la corde d'amarrage. Détache ce diable de nœud!

La nervosité du rouquin monte en équipollence avec les aboiements qui se rapprochent. Quand il parvient enfin à jeter le câble à l'eau, les premiers mâtins sont presque sur lui. En usant de la souche comme appui, il se donne un élan pour plonger le plus loin possible et rattraper l'allège dont l'éperon, déjà, s'est mis à fendre l'onde.

Tandis qu'il en est au milieu de son vol plané, une lueur apparaît à la hauteur des soldats qui arrivent. La détonation se fait ouïr une fraction de seconde plus tard. Dans un éclaboussement d'eau, le corps d'Hubert disparaît pendant que deux chiens, enfiévrés par la chasse, se jettent à la mer à sa suite. Le premier se contente de patauger près du quai avant de s'en retourner au sec, tandis que le second, plus agressif ou meilleur nageur, file au milieu des cercles qui délimitent l'emplacement où Hubert a disparu.

— Penche-toi! ordonne Urbain à Lionel juste avant que deux autres salves d'arquebuses percent une trouée dans la voile et arrachent une plainte au bois de la mâture.

Deux flèches d'arbalètes viennent également se ficher dans la coque avec un claquement sinistre.

— Et Hubert ? demande le Gascon, la tête enfouie sous l'espace creux qui détermine l'étrave.

— Il n'est pas reparu, réplique Urbain qui, allongé près du bastingage, s'arc-boute à l'écoute* pour orienter la voile.

Dans la lueur des torches que tiennent les poursuivants, du coin de l'œil, il perçoit l'énervement des soldats qui ragent d'avoir perdu leur proie. Des ordres qui ressemblent aux aboiements des dogues déchirent la nuit, des arquebuses continuent de tonner, mais les tirs sont chaque fois moins précis. L'allège s'éloigne.

— Ça y est ! Je distingue Hubert ! s'exclame Urbain.

— Il est loin ? demande Lionel. Il peut nager jusqu'à nous ?

— M'étonnerait.

Il y a un long moment de silence où même les armes se taisent. Lionel finit par demander :

— Il est mort ?

Urbain se redresse enfin, assuré que la distance qui les sépare des soldats est trop importante désormais.

— Le chien le ramène au quai dans sa gueule.

Comme si la brise avait choisi son camp, le vent augmente en force, poussant l'allège toujours plus vite, toujours plus loin. Les ordres des soldats se transforment en murmures étouffés. Urbain devine que les soldats doivent avoir investi la caravelle et exiger des canonniers d'utiliser un pierrier pour viser l'embarcation. Le pirate ne s'inquiète pas outre mesure, sachant que le temps qu'on amorce la charge et trouve l'angle de visée, la barque sera hors de portée du moindre projectile. Déjà, Virgen-Santa-del-Mundo-Nuevo commence à se fondre dans l'opacité.

Une chouette ulule dans la densité de la forêt. Résonne aussi la plainte d'une famille d'atèles, puis le cri d'autres animaux impossibles à identifier. Enfin, le bruit du vent et des vagues devient si important que les geignements s'évanouissent.

Lionel quitte son abri pour assurer la tension de l'écoute tandis qu'Urbain s'est emparé d'une rame avec laquelle il improvise un gouvernail. L'allège, le vent en poupe, serre les vagues, bondit en longeant la côte, en caressant les hauts-fonds de corail, en frôlant le naufrage tant il fait sombre, en narguant le destin, libre et insouciante tels ces hommes qui, promis à la mort par le feu, s'enfuient sur l'eau et sous le vent.

— Libres! s'écrie Urbain avant d'éclater d'un grand rire que la brise emporte.

— Mort de mes os! jure le jeune Gascon en joignant sa gaieté à celle de son compagnon. Onques je n'ai eu aussi peur de ma vie. J'en ai même appelé ma mère.

Et voilà qu'il s'esclaffe à son tour, plus fort qu'Urbain encore. Et voilà que le ciel déchire son opacité comme un homme ouvrirait sa chemise et que paraissent les étoiles puis la lune. Et voilà que la mer se met à refléter la lumière du ciel et que l'univers paraît plus vivant, plus invitant, plus joyeux.

— On peut même s'orienter, plaisante Urbain en désignant l'étoile polaire qui sourd dans la trouée de nuages.

— Jusqu'où irons-nous de la sorte? demande Lionel.

— D'abord, à Port Nancy, un comptoir français pas si loin d'ici, sur la *Tierra Firme*, la terre ferme.

— Français ? Si près des Espagnols ?

— Bof ! Si les fils-de-rien* le tolèrent, c'est qu'il est petit et que les papistes en ont plein les bras ailleurs. On y sera bientôt. Avec ce vent, je dirais... deux jours. Ensuite ? Ha, ha, ha ! J'ai un sacré projet.

— Lequel ?

— Tu as vu toutes ces richesses que les Espagnols transportaient à l'intérieur de la place ? Tu as vu ? Ça provient d'une cité secrète qu'ils ont trouvée dans la forêt. Une cité remplie d'or. Il faudrait pouvoir s'en emparer.

— De la cité ?

— De Virgen-Santa-del-Mundo-Nuevo, plutôt. Pourquoi risquer d'attraper les fièvres en portant le trésor quand de Navascués le fait pour nous ? Il suffit d'attaquer la place et de prendre ce qui s'y trouve déjà.

— À nous deux ?

— Ne fais pas l'idiot. Déjà que la place s'avère difficile à investir avec ses nouvelles fortifications. On aura un allié de taille.

Lionel fronce les sourcils, incertain du sérieux de son compagnon.

— De quel allié parles-tu ?

— De celui que les Espagnols espéraient capturer quand ils nous ont attaqués. Un allié qui, comble de chance, déteste les suppôts de Charles Quint.

Le visage de Lionel devient blafard et ce n'est pas seulement dû à l'éclairage de la lune. La peur fait trembler sa voix quand il balbutie :

— Tu veux dire… ? Tu parles de… ?

Urbain éclate d'un rire encore plus puissant quand il répond :

— Je te parle du pirate Cape-Rouge, oui !

4

Dans cette baie retirée sur les côtes du continent, au sud des îles du Pérou*, Puerto Dia Feliz est un havre modeste où des marchands espagnols tiennent un comptoir exploitant le bois de brésil, la cueillette des perles et la capture d'esclaves indiens.

Était un havre, plutôt. Car le comptoir brûle.

Du toit en feuilles de latanier à la couverture de tuiles, du sol de terre battue au plancher de mortier, tous les bâtiments, tant les entrepôts des marchands que les maisons des aventuriers et les enclos des esclaves, crachent vers le ciel des rouleaux de fumée grasse alimentée par les cadavres qu'on a jetés au brasier. Des odeurs de mort se mêlent aux parfums de la sylve et à la fragrance de la mer. Les corbeaux, déjà, volent en cercles au-dessus des ruines, se plaisant même à l'occasion à traverser les volutes noires comme pour se délecter de leurs relents pourris.

Des nuages lourds venus de l'intérieur des terres prennent aussi l'azur d'assaut depuis un moment, invitant les charognards à voler plus bas, masquant le soleil couchant, assombrissant la scène de plus de tragique encore.

— Nous aurons un hourvari.

Le garçon qui a parlé n'a pas vingt ans. Il se hanche sur une seule jambe, les mains appuyées sur la poignée d'un long sabre fiché en terre. Du sang séché macule la lame en tavelures inégales, dessinant des entrelacs complexes tels des racinages, imitant presque, par un hasard étrange, le tatouage raté sur son biceps maigre. Ses cheveux longs, dont des boucles insoumises frisottent sur les tempes, peignés vers l'arrière, sont noués d'un ruban noir. Ses yeux étincellent de l'éclat combiné du turquoise de la mer des Caraïbes et du bleu de son ciel. La beauté de son regard jure avec la hideur de sa vocation : larronner, détruire, brûler, tuer.

— Nous aurons un hourvari, c'est sûr, répète-t-il lorsqu'il constate que l'homme près de lui n'a pas réagi.

Ce dernier, à peine plus grand, le ventre rebondi, un chapeau de feutre galonné de rubans ramené sur l'occiput, s'ébroue enfin, son regard depuis trop longtemps fixé sur l'incendie. Il s'arrache aussi à l'observation des écumeurs aux vêtements loqueteux tachés de sang, certains blessés, d'autres seulement épuisés, qui s'affairent encore à alimenter les brasiers de bois et de corps. L'homme tourne vers le garçon une barbe courte nimbée de ses premiers reflets argentés. Il aspire bruyamment comme pour achever d'émerger de son état de réflexion et demande :

— Hum ? Un hourvari, dis-tu, Lucas ? Qu'est-ce que c'est ?

— Un grain, capitaine, répond le jeune homme en agitant des sourcils nerveux. Enfin, vous savez, ces vents du soir qui, parfois, surgissent de l'intérieur des terres et crachent quelques muids de pluie avant de s'évanouir. Certains les appellent ainsi.

— Charmante appellation, réplique l'homme qui frissonne en levant le nez vers le ciel.

Il saisit derrière lui la cape rouge qui lui sert de mante et s'en couvre les épaules. Il s'intéresse à un quatuor de matelots qui émergent d'un entrepôt encore intact, les bras chargés de marchandises. De l'indice, il leur intime l'ordre de porter leurs charges en direction des canots que l'on aperçoit faire la navette entre le quai et le navire. Même de sa position, il peut apercevoir le pavillon rouge qui claque au sommet du mât d'artimon. Un drapeau brodé avec l'image d'un squelette armé d'un sabre.

Un drapeau de pirates.

Reposant de nouveau les yeux sur les flammes qui montent des bâtiments, l'homme reprend, à l'adresse du garçon :

— Espérons que la pluie ne tombera pas avant que Puerto Dia Feliz n'ait fini de se consumer.

Sa voix lui ressemble, calquée, dirait-on, sur son attitude posée et élégante, sur la force tranquille qui se dégage de lui. Le timbre est enrichi d'harmoniques graves qui siéent à son autorité, et aussi à ces mots raffinés qu'il emploie, à ces phrases soignées dont il s'efforce d'user comme pour mieux se distinguer des hommes frustes et vulgaires qui le servent, lui, de naissance roturière, qui prend la pose et le verbe des gentilshommes, qui parvient malgré tout à imposer l'image d'une noblesse dont il ne peut se prévaloir. Une image volée.

Mais le vol et le pillage ne sont-ils point sa raison de vivre ?

— Capitaine! Capitaine Cape-Rouge!

L'homme et le garçon se tournent de concert vers un homme au crâne chauve, à l'œil dextre masqué d'un bandeau de drap, l'avant-bras encore transpirant d'avoir tant servi le sabre. Du sang qui n'est pas le sien couvre tout son côté droit et une blessure légère rougit le dessus de sa main senestre*.

— Qu'est-ce? demande le capitaine couvert de la mante écarlate.

— On a surpris une dizaine d'Espagnols, des négriers d'Indiens, qui arrivaient d'une razzia en forêt.

— Des négriers d'Indiens! s'amuse Cape-Rouge du jeu de mots involontaire de son matelot. N'A-Qu'Un-Œil, sacré drôle, tu veux dire des esclavagistes. Qu'en as-tu fait?

— Ces Espagnols esclavagistes, comme vous dites, ils se sont butés à mon groupe pendant qu'on abattait les appentis. Ils ont tenté de rebrousser chemin en apercevant la fumée qui commençait à monter de la grande place. Même s'ils ont abandonné leurs captifs, on les a vitement rattrapés. Ils étaient affaiblis par la faim. Je pense qu'ils ont souffert en forêt. Toutefois, leurs chiens se sont opposés à nous. Et ils étaient en bonne forme et féroces, les mâtins!

Cape-Rouge fronce les sourcils en fixant la ligne d'arbres qui masque l'emplacement des appentis.

— Comment les chiens pouvaient-ils être si féroces et leurs maîtres, si faibles ?

N'A-Qu'Un-Œil gratte son crâne chauve, crache une boule de salive verdâtre par terre comme s'il luttait contre un mauvais goût en bouche, et répond :

— Oh, je sais pourquoi. Je les ai vus faire déjà, les Espagnols, quand j'étais moi-même entre leurs mains. Bon, ils ne traitent pas leurs prisonniers chrétiens comme les païens, même des huguenots comme nous, mais les Indiens... Ils les traînent, tous autant qu'ils sont, guerriers, femmes ou enfants, enchaînés en file durant leur chemin, et les mènent comme s'ils étaient du bétail. Ensuite, pour nourrir leurs chiens, ils tuent un captif ici ou là, et tiennent une boucherie ambulante de viande humaine. Ils se disent les uns aux autres : «Prête-moi un quart de ce coquin pour donner à manger à mes bêtes jusqu'à ce que j'en tue un moi-même» comme s'il s'agissait là d'un quart de mouton ou de porc. Parfois même, au risque de commettre pire qu'un péché mortel, ils vont boustifailler des parties tendres des bébés. C'est mieux, disent-ils, que de manger leur chiennaille.

Cape-Rouge s'efforce de conserver une expression stoïque, mais même à travers sa barbe on distingue les muscles de ses mâchoires qui se serrent.

— Et c'est nous, les pirates, qu'on traite de barbares, finit-il par lâcher.

— Le diable se repaîtra de leurs âmes, c'est sûr, philosophe N'A-Qu'Un-Œil.

— Combien avez-vous libéré d'Indiens ? demande le capitaine.

— Une trentaine. Affaiblis, mais ils survivront. On les a laissés libres de retourner en forêt, mais ils sont trop épuisés.

— Et les Espagnols ? Combien en reste-t-il de vivants ?

— Six. Peut-être un septième. Il agonisait quand je suis venu vous trouver, mais s'il est assez solide…

Comme s'il voyait enfin le sang qui dégouline toujours de son sabre, N'A-Qu'Un-Œil l'essuie contre une feuille de bananier. Avec un haussement d'épaules, il fait remarquer :

— Ils ont manqué de chance, ces soudards. Partis depuis des jours pour faire fortune, ils mettent plus de temps que prévu pour ramener des esclaves, ils manquent de crever de faim et, au moment de voir enfin l'aboutissement de leurs épreuves et de compter leurs deniers, ils tombent sur nous.

Il place l'épée dans son fourreau et répète :

— Vraiment pas de chance.

— Et encore moins que tu ne le crois, ajoute Cape-Rouge.

N'A-Qu'Un-Œil et Lucas réagissent avec le même tic des sourcils quand ils constatent la haine qui brille dans les pupilles du capitaine. Ce dernier, d'un mouvement ample de la main gauche, renvoie un pan de sa mante sur son épaule dextre, enfouissant ainsi son menton sous le tissu écarlate. Les dents serrées, les lèvres bougeant à peine, il ordonne :

— Montez une potence et suspendez-y les prisonniers espagnols par les pieds. Mettez-les à telle hauteur que leur tête se balance devant la gueule de leurs mâtins dressés pour manger la chair humaine. Enduisez leur visage de sang frais, et lâchez sur eux leur chiennaille.

Du haut du château de poupe de son galion, une main appuyée sur la lisse* de pavois et l'autre, sur la crosse du pétrinal à sa ceinture — une posture qui lui est familière —, Cape-Rouge, enveloppé dans la mante écarlate à laquelle il doit son nom, observe l'averse vespérale éteindre le brasier qu'est devenu Puerto Dia Feliz. Son feutre rabattu sur les sourcils pour se prémunir de l'eau dans les yeux, il serre les dents, visiblement contrarié que les tourments des Espagnols s'apaisent, abrégés par une incompréhensible clémence des cieux.

— Les braises sont éteintes, fait remarquer Lucas, deux pas derrière lui.

Les quatre esclavagistes, toujours vivants parce que leurs chiens se sont contentés de leur gruger quelques portions de visage, se balancent à deux pieds du sol. Avant la pluie, leur tête cuisait à petit feu sur les braises ardentes qu'on avait étendues sous eux. La fraîcheur de l'eau leur apporte un répit.

— Ils mourront plus lentement, c'est tout, jette Cape-Rouge en sentant le fiel de la haine bassiner son ventre.

— Je peux redescendre à terre et rallumer, si vous voulez.

— Non, qu'importe, décline le capitaine. Va plutôt prêter main-forte aux manœuvres. Quittons ce havre pour la haute mer. L'odeur

de chair brûlée commence à me prendre à
la tête.

— À vos ordres.

Au moment où Lucas va rejoindre les
matelots qui s'affairent à l'appareillage, N'A-
Qu'Un-Œil apparaît dans l'escalier qui relie
la dunette au tillac.

— Capitaine! appelle-t-il. Il y a un drôle
ici qui insiste pour s'entretenir avec vous.

— Quel drôle? s'informe Cape-Rouge en
cherchant machinalement des yeux parmi les
hommes qu'il voit vaquer sur le pont, dans
les haubans et sur les hunes.

— Un Sauvage. Dans une pirogue, au
pied de l'échelle de coupée*.

— Un Sauvage? Il est seul?

— Oui. Il faisait partie des captifs que les
Espagnols ont ramenés de la forêt.

— Que veut-il?

— Je n'y entends goutte; il ne parle pas
français. Mais il insiste en répétant «Cape-
Rouge, Cape-Rouge». Je lui accorde le privilège de monter à bord ou je le renvoie?

— Amène-le ici, mais assure-toi qu'il
n'est pas armé.

N'A-Qu'Un-Œil éclate de rire en redescen-
dant l'escalier vers le pont principal. Il dit:

— Pas difficile. Comme tous les Sauvages, il est aussi nu qu'au jour de sa naissance.

— Lucas, dit Cape-Rouge en retenant son matelot par l'épaule, ne t'éloigne pas. Je veux que tu assistes à l'entretien.

— Je n'entends pas plus la langue des Sauvages que N'A-Qu'Un-Œil, capitaine.

— Eh bien, ça te fera une première leçon.

Quelques minutes plus tard, le pirate borgne revient accompagné d'un gaillard plutôt grand, ample d'épaules, aux mains larges, aux muscles nervurés, un Amériquain sans doute costaud quand les circonstances ne le privent pas de nourriture pendant des jours. Les marques laissées par la corde qui l'a maintenu attaché à ses compagnons d'infortune sont toujours visibles sur son cou. Il ne porte pour tout vêtement, pour toute parure, qu'un mince bracelet de cuir au poignet et un autre de coquillages à la cheville. Une cordelette de crin retient ses cheveux longs de battre devant son visage. Son sexe oscille de senestre à dextre tandis qu'il monte l'escalier menant au château de poupe.

N'A-Qu'Un-Œil, sa main refermée sur le bras amaigri, maintient le Naturel devant son capitaine. Il y a plusieurs secondes de silence pendant lesquelles les pirates observent le visiteur, la mine fermée en guise d'intimidation. L'Amériquain ne démontre aucun signe d'embarras. Il côtoie la violence, la torture et la mort depuis tant de jours maintenant que rien dans l'instant ne peut l'émotionner.

— Tu voulais me voir? demande enfin Cape-Rouge en arawak.

Le Naturel fronce légèrement les sourcils, s'efforçant de comprendre à la fois l'accent et l'idiome pratiqués par son interlocuteur. D'importantes variantes caractérisent l'arawak parlé d'une île à l'autre du Pérou, à plus forte raison quand le dialecte de l'un est taíno et que celui de l'autre est wayana, une ethnie du continent dont la langue est plutôt associée au caribe.

— Oui, répond le Naturel après une pause.

— Comment t'appelles-tu?

— Urael.

— Eh bien, Urael. Que me veux-tu?

— Je veux partir avec toi sur ta *piragua* géante.

— Tu veux devenir pirate? Tu veux abandonner les tiens?

— Je n'ai plus de «miens». Ces *yares*, quand ils ont envahi mon village, ont tué ma femme, ma fille, ma mère, mon père, mes deux frères… Je suis seul, maintenant. Je veux consacrer ce qui me reste de vie à tuer des démons blancs.

Cape-Rouge, tout en gardant la main dextre sur la crosse du pétrinal à sa ceinture, a un ample mouvement du bras senestre pour désigner les hommes sur son navire.

— Mes matelots ne sont-ils pas tous, à tes yeux, des démons blancs?

— Non, répond Urael sans hésiter. Je sais que ceux qui ont attaqué mon village n'ont pas le même roi que toi. Je sais que ton roi à toi est en guerre contre leur roi à eux.

— Je n'ai pas de roi. Aucun de mes hommes n'a de roi. Nous bataillons pour nous, uniquement. Nous sommes libres.

— Alors, je veux être libre avec vous.

— Tu ne connais rien aux manœuvres d'un navire, d'une pirogue géante, comme tu dis.

— Je ne suis pas stupide. J'apprendrai.

— Tu devras aussi connaître notre langue.

— J'apprendrai.

— T'exercer à t'habiller.

Une ligne horizontale barre le front du Naturel en signe d'incompréhension.

— Pourquoi? demande-t-il.

— C'est ainsi. Aucun parmi nous ne va nu.

— J'apprendrai aussi.

Cape-Rouge fixe l'Amériquain un long moment dans les yeux. Tout semble dit, tout semble compris. Même N'A-Qu'Un-Œil et Lucas, qui n'entendent rien à l'arawak, affichent des mines contentées, ayant saisi en suffisance l'échange du Wayana avec leur capitaine. Ils paraissent approuver l'arrivée de cette recrue qui ne manquera certes pas de motivation quand viendra le temps d'attaquer un navire ou un comptoir espagnol.

À l'étonnement de tous, Cape-Rouge tire le pétrinal de sa ceinture et, en le maintenant d'une seule main, pointe le canon directement sur le front du Naturel. Ce dernier, interdit, écarquille les yeux.

— N'A-Qu'Un-Œil, glisse la main dans la tignasse de ce drôle, ordonne en français le chef des pirates.

— Dans... dans ses cheveux, capitaine? s'étonne le marin en s'exécutant.

Il ne trifouille pas longtemps avant de retirer un coutelas dérobé à un Espagnol. Dès que la lame renvoie son éclat meurtrier, Lucas tire son sabre de son fourreau.

— Par le diable! jure N'A-Qu'Un-Œil. Ce taille-lard m'a joué.

Sans démontrer ni peur ni colère, le Wayana dit à Cape-Rouge:

— Un homme n'est jamais si nu que lorsqu'il est désarmé.

Sans relever la remarque, le capitaine appuie le canon du pétrinal plus fort sur la peau du Naturel, créant une empreinte ronde.

— Par exemple! s'étonne le borgne en fixant l'arme entre ses mains comme s'il n'y croyait toujours pas. Onques je n'aurais pensé…

— Avec ce crâne lisse que tu as, rétorque Lucas en éclatant de rire, on peut comprendre que ça ne te vienne pas à l'esprit.

— Et toi, jeune poilu? Quelle excuse as-tu de n'y avoir point songé?

Cape-Rouge ne semble pas s'amuser. Il dit:

— Prenez-en de l'expérience, tous deux. C'est une ancienne connaissance à moi qui pratiquait cette fourberie en dissimulant une arme dans sa crinière. Maintenant, j'envisage cette possibilité à chaque occasion.

Revenant à la langue arawak, Cape-Rouge demande au Wayana :

— Urael. Urael. Ce nom signifie « Fils du vent », non ?

— C'est ainsi que mon père voulait qu'on me reconnaisse, répond l'Amériquain, qui demeure imperturbable.

En arawak d'abord, en français ensuite afin que ses deux subalternes comprennent, Cape-Rouge affirme :

— Ce navire, cette *piragua* géante, s'appelle *Ouragan*. Urael, Fils du vent, tu portes un nom prédestiné.

Lucas et N'A-Qu'Un-Œil regardent leur capitaine pour tenter de saisir si, selon lui, la menace manifestée par le Naturel s'amplifie ou se réduit. Cape-Rouge, dans une esquisse de sourire qui se perd rapidement dans l'ombre de sa barbe, abaisse son arme. En la glissant dans sa ceinture, il a un geste d'apaisement à l'égard de ses hommes et il lance en arawak :

— Bienvenue chez toi, Urael.

5

Urbain, en raison de cette vermine qui le couvre et afin de ne pas faire fuir la clientèle, a été obligé de s'asseoir dans un coin sombre de la taverne de Port Nancy. En compagnie de Lionel, il se retrouve donc, verre pleurant* à la main, devant une table boiteuse sous l'escalier qui mène à la réserve de farine du premier étage. Dans ce recoin, l'établissement, déjà mal éclairé en son centre par deux lampes à l'huile à l'éclat famélique, baigne carrément dans la pénombre.

— Ce n'est pas pour nous mécontenter, a murmuré Urbain à Lionel lorsque le tavernier leur a indiqué le recoin.

Ainsi à l'abri des regards, ils peuvent observer les clients du bouge sans trop se faire remarquer. Une dizaine de tables accueillent chacune sept ou huit clients qui boivent, rotent, pètent, beuglent et emmouscaillent les deux serveuses aux formes rondes de propos grossiers et de requêtes inconvenantes. La guildive et le mauvais vin coulent à flot,

les esprits s'échauffent, trois s'engueulent
là, quatre dans l'autre coin, deux se battent
près de la porte, ce qui facilite le travail du
tenancier qui, loin d'être manchot, se plaît
à expulser lui-même les pugilistes d'adroits
coups de botte dans des parties stratégiques
de l'anatomie.

— Il n'y a pas à dire, confie Urbain à
Lionel, cet endroit me plaît. Je m'y sens chez
moi.

— Pour ma part, réplique son compagnon, j'aurais préféré moins bruyant pour
me reposer la tête après tout ce qu'on vient
d'éprouver.

— Faut d'abord se procurer de quoi manger et boire. Il me reste deux sous de l'allège
qu'on a vendue et de ce mendiant qu'on a
volé devant l'église. Et ici, tout le monde se
connaît ; on ne peut pas vivre à chaparder ici
et là.

— Alors, trouvons vite à nous enrôler
dans un équipage. Ce sera facile ; il n'y a que
des marins dans ce trou. Et français, de
surcroît.

— Ce qu'il faut surtout, c'est porter
attention à ce qui se dit et repérer, s'il en est,
des hommes de Cape-Rouge.

— T'es fol comme un Braque, Urbain, rétorque Lionel. Enlève-toi cette idée de la tête. Ce pirate trie ses hommes comme beaux pois sur le volet. Nous n'arriverons pas à convaincre qui que ce soit de nous mener à lui. Surtout pas ses propres marins.

— On peut trouver.

— On ne trouvera pas.

— Je peux vous aider, peut-être?

Urbain et Lionel sursautent de concert. Engagés dans leur débat, ils n'ont pas remarqué la haute silhouette un peu maigre, quoique musculeuse, qui s'est approchée de leur table. L'homme, les traits masqués par la lumière à contre-jour, appuie les deux poings sur le meuble et parle d'une voix au timbre clair, qui diffuse une autorité naturelle.

— Je vous ai ouïs prononcer le nom de Cape-Rouge, reprend l'inconnu. Vous le cherchez?

Une puanteur forte de dents cariées se manifeste.

— Mais non, répond Lionel.

— Peut-être, corrige Urbain. Tu peux nous mener à lui?

— Oh, ça dépend pourquoi, réplique l'inconnu en tirant un banc et en s'assoyant à califourchon. Vous cherchez de l'emploi?

Urbain détaille le peu qu'il distingue de l'intrus et ce peu, déjà, ne lui inspire que méfiance. Crâne en forme de calebasse, bien serré dans un foulard noir, sourcil ténébreux et épais à dextre, aucun sourcil à senestre, gommé sans doute par un coup de sabre, traits fins et durs, des mains longues, parsemées de cicatrices. Des contusions aux jointures trahissent qu'il y a peu, le gars a fait tâter de son poing à quelque mâchoire malheureuse. Pourpoint une taille trop grande, chemise noire, sabre au côté, pétrinal dans la ceinture…

— Vous êtes timides, ma foi. Je vous demande si vous cherchez de l'emploi?

— Oui, atteste Lionel.

— Avec Cape-Rouge, spécifie Urbain.

— Pourquoi lui et pas un autre capitaine?

— Nous avons une belle proposition qui va le…, commence Lionel.

— Ça, c'est nos affaires, coupe Urbain que le relent de dents cariées commence à indisposer — et pourtant, en ce qui relève des mauvaises odeurs, il s'y connaît. Si tu sais où trouver Cape-Rouge, on peut te payer pour ta peine, sinon bon vent.

L'étranger pourrait se trouver offensé ; au contraire, voilà que l'attitude des deux hommes attise sa curiosité. Il s'informe :

— Comment vous appelez-vous ?

— Et toi ? Tu t'es présenté avant de t'asseoir à notre table ?

L'étranger se lève d'un bond, repoussant le banc dans son mouvement. Par réflexe, Urbain et Lionel ont déjà la main sur le manche de leur couteau. L'homme réplique, la paume senestre sur le pommeau de son sabre et la dextre sur la poitrine :

— Par la barbe de Satan ! Vous avez raison. Je manque à tous mes devoirs de gentilhomme. Capitaine Feulion, commandant du brigantin *Géhennes*, pour vous servir.

— Feulion ? s'étonne Lionel. Le pirate ?

— Ah ! Je consigne avec apaisement que mon nom est connu de Vos Seigneuries, exprime l'homme d'un ton railleur. Puis-je m'asseoir avec vous ?

La scène paraît un tantinet controuvée et Urbain jette un œil vers les autres tables. Il constate que certains clients zieutent dans leur direction avec une vague peur, et aussi un certain respect, attestant les dires de leur interlocuteur. Urbain demande toutefois :

— Feulion. As-tu la preuve que tu dis vrai?

— Mordiou! Toi dont j'ignore le nom à mon tour, comment peux-tu douter de ma parole?

— Je m'appelle Urbain et voici Lionel, mon compagnon. On vient d'échapper aux Espagnols, on est fatigués, sans le sou, et on n'a pas vraiment la patience de jouer aux devinettes. On ne connaît rien du gentil-homme Feulion pour onques n'avoir croisé sa route.

— C'est juste, dit l'homme. Aussi, voilà qui va vous donner une bonne garantie.

D'une main, il saisit le nœud du foulard qui pend sur sa nuque et tire pour le délier. Le tissu glisse et une chevelure coiffée de manière étrange apparaît. Le côté dextre est couvert d'une tignasse bien fournie, du front à l'occiput, tandis que le côté senestre est entièrement nu, pelé à l'os sur toute sa surface.

Devant Urbain et Lionel interloqués, Feulion renoue son foulard en ricanant sans joie, émettant plutôt une sorte de grincement sinistre. Il affirme:

— Il me faut bien masquer à ceux que la vision pourrait incommoder le demi-scalp que les Indiens ont réussi à me prendre.

Lionel détourne les yeux de ce qui lui a semblé le crâne épluché d'un squelette vivant et ressent l'intense besoin de porter son gobelet de guildive aux lèvres.

— C'est bien là une caractéristique du pirate Feulion, admet Urbain qui en a vu d'autres, mais qui ne peut s'empêcher de déglutir.

D'emblée, la puanteur de dents cariées lui paraît moins repoussante. Il invite :

— Tu peux t'asseoir avec nous, capitaine.

— Alors ? dit le pirate en retrouvant sa place sur le banc. Si on reprenait notre conversation, maintenant ? Pourquoi cherchez-vous tant à vous allier à Cape-Rouge quand je cherche moi-même des hommes ?

— On a une affaire à lui proposer, capitaine, réplique Lionel, le nez dans son gobelet, cherchant à se donner une certaine désinvolture, mais encore sous le choc.

— C'est personnel, s'empresse d'ajouter Urbain en donnant sous la table un coup de pied au tibia de son acolyte.

— Ah, si c'est personnel, réplique Feulion en faisant un signe de la main à l'une des serveuses pour qu'elle s'approche, je ne discute pas. Mais vous boirez bien un coup avec moi. Huguette, ma jolie croupe de genêt*, apporte-nous à boire. C'est ma tournée.

— Nous allons boire avec toi avec plaisir, capitaine, mais ça ne nous fera pas changer d'avis. C'est Cape-Rouge qu'on cherche.

— Si vous y tenez à ce point, je peux vous aider.

Urbain et Lionel jettent à Feulion le même regard incrédule puis échangent une expression silencieuse qui signifie : « Défiance ! Il va nous mentir. »

— Cape-Rouge est un ami, déclare le commandant du *Géhennes*. Je sais où il se trouve, je peux vous mener à lui.

— Pourquoi ferais-tu ça, capitaine ?

— Parce que j'y trouverai peut-être mon compte.

— De quelle manière ?

— Si vous me dites pourquoi vous le cherchez.

— Désolés. On se débrouillera sans ton soutien.

Au lieu de paraître offensé, Feulion hausse les épaules puis accueille la serveuse qui distribue les coupes sur la table. Le pirate lui lance une poignée de piécettes tandis que, de l'autre, il en profite pour apprécier la fermeté de la chair. La fille, habituée de la clientèle, repart en riant et Feulion, verre au bout du bras, invite ses compagnons de table à l'imiter.

— Trinquons à votre liberté!

— À la liberté! répètent Urbain et Lionel d'un ton trop bas pour paraître enthousiastes.

Ils boivent d'un mouvement du coude synchrone puis, une fois les lèvres essuyées d'un revers de la main, Feulion dit:

— Ainsi, vous avez échappé aux Espagnols? Où donc?

— À la redoute de Virgen-Santa-del-Mundo-Nuevo, répond Urbain qui ne voit pas, dans cette information, de quoi trahir leur secret.

— À Virgen-Santa-del-Mundo-Nuevo? répète Feulion. Je ne connais pas de redoute de ce nom. Il y a bien un comptoir minuscule, une palanque à la rigueur, qui porte un nom semblable sur la *Tierra Firme*, à cinquante lieues d'ici. Mais de redoute, point.

— Ça le devient, corrige Lionel. Les Espagnols ajoutent des murs aux palissades.

— Vraiment? s'étonne le commandant du brigantin en exagérant une mine stupéfaite. On transforme en forteresse ce vulgaire

dépôt de brocantes que s'échangent les Castillans et les Sauvages? Dans quel dessein?

— Qui sait! réplique prestement Urbain
dans la crainte que son compagnon n'en dise
davantage. Ces papistes sont fous.

— Eh! proteste Feulion. Je suis papiste.

— Désolé, capitaine, s'excuse Urbain tout
en omettant de cacher une moue qui exprime
son indifférence.

— Il est vrai, corrige le pirate, compré-
hensif, qu'il y a longtemps que je suis entré
dans une église. Je ne me souviens même
plus de mon *Pater Noster*.

— C'est parce que, dans la flibuste, on
prie plutôt le diable, lance Lionel en éclatant
de rire.

Le ricanement grinçant de Feulion lui
répond.

— Tu as bien raison, garçon, approuve
celui-ci avant de boire de nouveau. Bien
raison.

Une fois son gobelet de retour sur la
table, profitant du silence qui s'installe entre
les trois marins, le capitaine revient à la
charge:

— Alors? Pourquoi ce désir de rencontrer Cape-Rouge? Pour lui relater votre
évasion des mains du *capitán* Luis Melitón

de Navascués ? Ou pour lui donner quelque information relative aux causes qui poussent cet hidalgo fou à vouloir établir une place forte dans ce lieu ? Aurait-il découvert une source de richesses digne d'être protégée ?

— Certainement pas, répond aussitôt Urbain en feignant à la fois la surprise, l'innocence et l'ignorance.

— Tu as répondu bien vite, indique Feulion en tapotant le bord de son verre pour détourner l'attention d'Urbain et Lionel tandis que, de sa main qu'il a laissée pendre à son côté, il signifie des ordres en secret à des hommes assis plus loin.

— On n'a rien à cacher, affirme Lionel, un léger trémolo dans la voix.

— On veut une rencontre avec Cape-Rouge pour des raisons personnelles, rajoute Urbain. Rien de plus à dire.

— C'est votre droit, approuve Feulion, en faisant faire des cercles à son gobelet sur la table dans une attitude qui exprime la désinvolture. Je vous informe quand même que, sachant où trouver mon ami Cape-Rouge, je peux vous être de quelque utilité. Pour ce faire, il vous suffit de me confier ce que vous avez découvert à Virgen-Santa-del-Mundo-Nuevo.

Urbain place sa main sur le coin de la table de manière à se saisir plus rapidement du couteau à son côté. Si le besoin s'en faisait sentir. Et si on lui en laissait le temps.

Mais quand il oit le pas lourd des hommes qui arrivent par derrière, il sait que ce délai nécessaire lui sera refusé. Avant même qu'il amorce son mouvement, une large lame de sabre se pose sur son épaule pour l'inviter au calme et à la coopération. Lionel n'a pas le temps de s'étonner que la pointe émoussée d'un fer de mauvaise qualité lui relève le nez.

Feulion ne regarde ni l'un ni l'autre ; il se contente de reprendre son gobelet, de le vider d'un trait, et de vider également celui d'Urbain puis celui de Lionel. Après un rot appuyé, il place les deux mains sur la table, se lève et, toujours sans regarder les deux hommes, dans une pure expression de mépris, il se détourne, pince les fesses d'Huguette qui passe par hasard puis, sans le moindre mot, s'ébranle en direction de la porte.

Son monde le suit, vidant du coup la taverne.

6

L'*Ouragan* bondit sur les vagues de la mer des Caraïbes tel un fauve qui sillonne son domaine, ivre de liberté, empli de sa robustesse, souverain et fier, bardé de courage et de folie, inspiré de son propre pouvoir. Le galion, ses voiles enflées par les alizés, grince de toute sa membrure, miaule de la tension de ses drisses, du resserrement de ses étais*, ainsi que crissent les griffes, ainsi que bruisse la gorge de la bête en chasse. Le soleil des tropiques chauffe le bois de sa structure et les étoffes de sa mâture, les embruns la giflent, le sel la sape, les eaux l'affouillent, mais toujours la bête se régénère par son âme prédatrice, par la liberté et la perspective de la prochaine escale, de la prochaine île, du prochain port.

De la prochaine proie.

Bâti dans un chantier d'Espagne pour transporter les richesses du Nouveau Monde, le galion a changé de vocation le jour où il est tombé entre les mains des pirates. Gréé de quatre mâts et d'un beaupré, de voiles latines et carrées, de huniers, de perroquets et d'une civadière, l'*Ouragan* n'est point pour autant le plus rapide des vaisseaux, même lorsqu'il déploie ses bonnettes* de hune. Toutefois, il est parfait pour transporter le butin des ports pillés. De plus, percé de sabords supplémentaires, augmenté de pier- riers, de couleuvrines et de canons chaque fois qu'un navire est arraisonné, il compense ses défauts de manœuvrabilité par une puis- sance de feu dévastatrice.

Ouragan. Du nom de ce vent d'Apoca- lypse qui balaie à l'occasion la mer des Caraïbes. Du nom dont l'origine provient de Juracán, le monstre taíno qui souffle sa furie à la demande de Guatauba, le dieu de la destruction.

Ouragan. Le navire pirate du capitaine Cape-Rouge.

— L'inventaire est terminé, annonce N'A- Qu'Un-Œil en restant sur le seuil de la cabine, la main sur la poignée de la porte. On a chargé plusieurs onces d'argent. Et de l'or aussi. Pas tant, mais quand même, quel- ques marcs*. Et puis du sucre, du cuir, du vin, des cochenilles et des perles. La cale est remplie jusqu'au plancher du faux-pont, de l'étambot* au centre du navire.

Cape-Rouge, assis derrière la table qui lui sert de bureau, pouffe de rire en se laissant aller contre le dossier du fauteuil.

— Tout ça? Rien qu'à Puerto Dia Feliz?

Lucas, dans ce hanchement qui lui est caractéristique, près de la fenêtre où pend un rideau usé, gratte la crasse sous ses ongles avec la pointe de son poignard. Il argue:

— Les Portugais devraient nous remercier d'avoir débarrassé les côtes qu'ils réclament comme les leurs de leurs ennemis de Castille.

N'A-Qu'Un-Œil, qui s'adosse contre le chambranle de la porte ouverte de manière à participer à la conversation sans manquer à son rôle de surveillance des manœuvres, dit:

— La dernière occasion que l'on a eue de ramener tant de butin, c'était la fois des quatre galions égarés par la tempête. Vous vous souvenez, capitaine?

— Pour sûr, affirme ce dernier. Et on avait subi plus de pertes. Cette fois, on ramène quasiment tout notre monde.

— Ça fera des parts moins grosses, hélas, blague Lucas en imitant une mine fâchée.

Les trois hommes éclatent d'un rire un peu fort qui évacue non seulement la joie, mais aussi la tension des derniers jours. Cape-Rouge passe une paume grasse sur son crâne à demi chauve, dans un geste plus poussé par la nervosité que par le besoin d'en essuyer la moiteur. Dans la conclusion machinale de son mouvement, ses yeux se reposent sur le portulan devant lui.

— Nos petites chéries vont se réjouir, exprime-t-il dans un souffle.

— Ah! Il me tarde d'être à Baie du Diable pour goûter à leur gratitude, complète N'A-Qu'Un-Œil.

— Est-ce là notre île, capitaine? s'informe Lucas en pointant son indice frais décrotté sur le portulan. Est-ce là Lilith et son havre de Baie du Diable?

Cape-Rouge, comme s'il s'ébrouait soudain d'une trop profonde songerie, donne de la paume contre l'axe en bois du parchemin qui s'enroule aussitôt sur lui-même, masquant du même coup lignes de rhumb, dessins des côtes et indications des lieux.

— Un portulan est sacré et privé, garçon, lâche-t-il sans plus d'amusement dans la voix. L'ignores-tu?

— Désolé, capitaine.

— De toute manière, notre île perdue est trop secrète pour figurer sur quelque document que ce soit.

Il lève le nez au plafond, un doigt sur le bord de la narine, un autre sur l'anneau à son oreille et, d'un ton moins bourru, poursuit :

— Je navigue à l'instinct, à l'odeur de la mer, à ses courants, aux relents caractéristiques de ses races de poissons, à la couleur de ses fonds, à l'écoute du vent et des oiseaux, aux cris particuliers de chaque espèce qui niche sur ses côtes.

Il conclut sous la mine penaude du jeune homme :

— Nul besoin de portulan pour revenir chez nous.

— Il s'en faudrait, tiens ! approuve N'A-Qu'Un-Œil. Depuis le temps qu'on se hisse sur chaque vague qui baigne les îles du Pérou, aucun fils-de-rien sur son cheval, aucun Portugais qui circumnavigue*, aucun autre corsaire français ne peut se flatter de connaître mieux ces eaux que nous autres, marins de l'*Ouragan*.

— Bien dit ! approuve Cape-Rouge.

— Même toi, moussaillon, poursuit le pirate borgne, ou même lui, là, aux manœuvres sur le râtelier du grand mât, ce Sauvage qu'on a recruté, et qui, depuis deux jours déjà, a repris tant de poids et de force qu'il pourrait me briser en combat singulier, même lui ou toi, je dis, toi qui n'es que jeune mataf, qui n'as pas encore deux ans avec nous, tôt ou tard, possédés par l'âme de ce navire, brûlés par le sel de cette mer, tatoués aux nuances de son ciel, vous ne saurez aller où que ce soit sans connaître et chercher d'instinct, telle une boussole, le nord, tel un enfant, le tétin de sa mère, la direction, les rhumbs qui mènent à Lilith.

— N'A-Qu'Un-Œil ! s'amuse Cape-Rouge. Tu es de feu, ma parole !

— Ah ! C'est qu'il me tarde de rejoindre notre chère île, capitaine ! réplique le pirate qui, oui ! semble-t-il à Lucas, rougit certainement, car s'il tourne la tête vers le pont pour masquer son visage, il se laisse trahir par son crâne chauve devenu cramoisi.

Cape-Rouge tempère :

— Il te tarde surtout de faire carrousse pour célébrer notre prise et de retrouver les bras de ces garces qui nous espèrent.

— Et qui démontreront d'autant d'affection que tu les couvriras de perles, renchérit Lucas, qui explose d'un franc rire.

— Que le feu Saint-Antoine vous arde ! lâche le pirate borgne, qui ne peut toutefois s'empêcher de pouffer tandis qu'il referme la porte derrière lui pour redescendre sur le tillac.

À Baie du Diable, le chenal secret au cœur de l'île Lilith, une terre peu fertile et inconnue en dehors des routes maritimes, des coups de canon à salves blanches annoncent l'arrivée joyeuse de l'*Ouragan*. Une petite communauté de pêcheurs, de planteurs, de cueilleurs, d'agriculteurs, mais surtout de noceurs, de buveurs, de gros parleurs et rieurs, de putains et de vieilles mouquères, converge vers le quai afin d'accueillir les pirates et leur fortune nouvelle qui enrichira chacun, et notamment le trésor personnel de Cape-Rouge. Puisqu'il faut bien honorer les morts, il y aura de vagues pleurs en mémoire de ceux qui ne sont pas revenus, de durée brève cependant, car l'esprit même des insoumis qui ont choisi de vivre hors les lois des nations, en recréant leur propre monde, leurs propres mœurs, est de ne point s'attarder à la tristesse et de jouir le plus possible de ce que la vie offre de beau et d'agréable : une fête vulgaire, ponctuée de rires grossiers et d'histoires poissardes, de gestes gouailles, arrosée à volonté de vin et de guildive, et achevée inconscient, le visage enfoui dans le sable de la plage ou entre les seins d'une gueuse.

— On dirait le brigantin de ce rustaud de Feulion, non ?

Lucas désigne du menton le bâtiment à deux mâts qui mouille au quai au milieu des barques de pêche. Cape-Rouge, son feutre sur les sourcils en guise de pare-soleil, s'efforce de reconnaître un pavillon, une ligne, un nom invisible sur la coque. Il détaille, au voisinage du brigantin, les allèges, chébecs et caraques des pirates moins nantis à qui il offre asile — moyennant rétribution. Il perd aussi son regard sur les deux caravelles en plus ou moins bon état — l'une espagnole, l'autre portugaise — affourchées à l'écart. Elles ont été réquisitionnées dans les derniers mois après des abordages en haute mer qui se sont terminés par le massacre des équipages entiers. Se détournant pour s'intéresser plutôt à ses marins qui besognent aux manœuvres d'accostage, Cape-Rouge jette :

— Quels ennuis apporte-t-il, cette fois? Oh! Philippe! Mordi! Tu ne quittes pas ce navire avant que d'avoir entalingué cet organeau dans les règles. N'A-Qu'Un-Œil! Veille à ce que ce coquin corrige sa lourderie qui a failli nous faire perdre une ancre. Encore une négligence de la sorte et, non seulement il perd tout droit à sa part du butin, mais il subira l'estrapade*.

— À vos ordres, capitaine!

— Vous avez confiance en Feulion, capitaine? s'informe Lucas.

Cape-Rouge fronce les sourcils devant son mousse.

— Il est pirate comme moi. Comme toi. Pourquoi pas?

— Il n'est pas comme les autres commandants à qui vous accordez droit d'asile. Je pense souvent qu'il pourrait trahir le secret de Lilith.

— Où voudrais-tu qu'il se réfugie ensuite s'il éventait la chose? Il paie sa rente — fort cher, d'ailleurs — et n'aurait guère d'autres abris pour échapper aux Espagnols après ses forfaitures en mer.

Lucas, à demi penché tandis qu'il rattache une drisse à un râtelier de la dunette, va répliquer quand un marin, du haut des haubans, lance en riant :

— Je vois là des garces heureuses de nous accueillir, capitaine.

Lucas, reconnaissant sur le quai une jeune fille qui l'a séduit peu avant son départ, en oublie Feulion. Il peine maintenant à masquer la rougeur qui vient de sourdre sur ses joues. Il feint de ne pas voir la coquine, mais les œillades qu'il ne peut s'empêcher de lancer à la dérobée n'échappent pas à la pupille unique de N'A-Qu'Un-Œil.

— Ho ! Germe de mousse ! lance le borgne. Vois la frimousse rousse sur le quai qui pousse. Ouste !

Des rires gras et des blagues grivoises s'échappent des gorges des pirates, arrachant un juron à Lucas. Intimidé, il n'ose plus lever le nez et rattache pour la troisième fois cette fichue drisse qui refuse de tenir sur ces foutus cabillots de crotte de bouc !

Cape-Rouge, en maître et roi de ce monde qui lui appartient, se présente le premier à l'échelle de coupée. Il enjambe le bastingage, sa mante agitée par la brise marine. Il n'est ni le plus grand ni le plus costaud de son équipage, tant s'en faut, mais par son instinct de la mer, par son esprit de stratège, et par sa férocité surtout, il a su s'attirer le respect et la crainte de tous. Voilà pourquoi, agrippé aux tire-veilles*, descendant les échelons à un rythme calculé, il ressemble à un géant carmin, à une bête indomptable, qui impose aux curieux sur le quai un silence respectueux.

— Bon retour à la maison, capitaine, l'accueille un vieil homme courbé, les jointures percluses d'arthrite.

— Bienvenue, capitaine, approuve une femme à ses côtés, son tablier taché de sang de poisson.

— Bonjour, capitaine Cape-Rouge, salue une jeune fille à la robe rapiécée, mais propre, accompagnée de quatre consœurs qui hochent la tête en signe de révérence.

Le pirate répond de mouvements discrets de son chapeau qu'il tient à la main, tel le meilleur bourgeois de Marseille ou de Honfleur. Il traverse le groupe de curieux, s'abreuvant de leur admiration, goûtant leur fascination, leur ravissement, se complaisant de son propre pouvoir, de son minuscule univers.

« Plutôt que deuxième à la cour de France, je préfère être premier sur Lilith ! » songe-t-il souvent comme pour justifier cette vie qu'il s'est choisie.

— Vous nous rapportez un beau butin, capitaine? s'informe un rude gaillard qui s'appuie sur une béquille, du côté où il n'a plus de jambe. Des têtes d'Espagnols, peut-être?

— Pour toi, Cloche-Pied, j'ai rapporté cinq belles têtes, bien conservées, réplique Cape-Rouge en tapotant l'épaule du gaillard. Pour ta collection.

L'homme ouvre grand la bouche pour exprimer sa joie. L'éclat de rire silencieux qui s'ensuit paraît plus étrange que ses gencives violettes, complètement édentées, et sa langue noire et bubonique.

« Régner sur une Cour des miracles, certes, se dit Cape-Rouge, mais régner en maître absolu. Posséder droit de vie et de mort sur son moindre sujet. Sinon Henri II, sinon Charles Quint, sinon les rois les plus puissants, qui donc peut se targuer d'un tel pouvoir? »

Il se rappelle tout à coup, sur une autre île — quel était son nom, déjà? François! Oui, voilà! —, ce prince à l'héritage curieux, cette accession non coutumière à un trône singulier. Huit ans ont passé? Dix ans? Comme tout cela semble loin.

— Capitaine Cape-Rouge!

Ce dernier poursuit comme s'il n'avait pas ouï.

— Capitaine Cape-Rouge! Je constate à la mine réjouie de tes marins que ta dernière campagne a tenu ses promesses et que, une fois de plus, tu reviens enrichi.

Le pirate se tourne enfin vers la silhouette malingre d'un homme dans la quarantaine, la tête dissimulée sous un foulard noir, le sourcil senestre remplacé par une large cicatrice incarnate. Un nez fortement busqué forme un encorbellement sinistre au-dessus de sa moustache dont la ligne fine et droite rappelle la lame d'une rapière. Une bouche aux lèvres inexistantes s'ouvre au milieu de sa barbe rêche, et souffle, chaque fois qu'elle émet un son, une puanteur de dents cariées. Des yeux de souris, en constante agitation, complètent ce portrait peu flatteur, mais qui convient pleinement à la population de Baie du Diable.

— Feulion! s'exclame Cape-Rouge en feignant d'être surpris. Il m'avait bien semblé reconnaître ta barque de cocher de fiacre.

Le sourire du marin tressaute une seconde, oscillant entre l'amusement et l'outrage, mais le bandit pratique la fourberie depuis trop longtemps pour ignorer comment repousser la colère quand les circonstances l'exigent. En lui, la servilité et la patelinerie ont depuis longtemps remplacé l'amour-propre.

— Ha, ha! Quel plaisantin tu fais, capitaine! grince-t-il. Je sens en toi l'indépendance d'esprit de celui qui a foi en son intelligence, qui est sûr de reconnaître ceux qui le servent bien. Ah, Cape-Rouge! Vieux camarade, compère en armes et en fortune, je te vois déjà me remercier les larmes aux yeux du cadeau que je t'apporte.

— Qu'est-ce que tu m'ennuies, Feulion, c'est peu dire! rétorque Cape-Rouge, un brin d'agacement dans la voix.

Il détourne les yeux d'un air méprisant et feint de s'intéresser aux marins qui rejoignent le quai et qu'on acclame maintenant à force cris. Feulion, en son for intérieur, bénit le diable — car il y a longtemps qu'il n'attend plus rien de Dieu — que le vacarme ait étouffé la réplique et lui ait évité le ridicule devant les îliens.

— Cape-Rouge, insiste-t-il en osant, du bout des doigts, toucher l'épaule du maître de Lilith afin de l'inviter à le regarder de nouveau. Ne me tiens pas toujours rancune de cette drôle de fois — et il y a si longtemps qu'il m'arrive à peine de m'en souvenir —

où j'ai pris peur. Je sais que tu as failli y laisser ta peau aux mains des hidalgos, mais comprends-moi : je n'ai pas ton courage. Tu t'en es tout de même sorti grâce — c'est certain — à mes prières auprès de Belzébuth. Et te voilà, aujourd'hui, toujours plus grand, toujours plus puissant, maître de cette île merveilleuse, de ce peuple extraordinaire, riche comme Charles Quint, et rempli de l'amitié d'un peuple formidable, dont je suis. Dont je me prévaux.

— Ce que tu es jacteur ! lâche Cape-Rouge tandis qu'il reprend la marche vers ses quartiers, dans la partie la plus centrale de Baie du Diable, répondant aux poignées de main des villageois qui l'accueillent, acceptant les baisers de bienvenue des femmes qui le croisent.

— Oui, c'est vrai, admet Feulion, je suis un jacasseur incorrigible. Mais tu béniras cette bouche en ayant l'impression qu'elle t'emplit les oreilles de musique lorsque tu apprendras ce que j'ai à t'offrir.

« Cette bouche qui empeste les dents cariées », songe Cape-Rouge, mais sans estimer nécessaire de le répéter à voix haute. Il rétorque simplement :

— Abrège.

— Sur les côtes du continent — ne me demande pas où, entre pirates, ce serait inconvenant — j'ai croisé deux drôles qui ont échappé, il y a peu, aux griffes du *capitán* Luis Melitón de Navascués.

— Voilà qui n'est pas commun.

— C'est ce que je me suis dit. Si ces deux-là ont accompli un tel exploit, ça vaut bien que je leur paie la guildive afin de connaître leur histoire. Après un pot, il a fallu récidiver, car les gredins ne s'ouvraient pas si facilement à la confidence. Ils avaient navigué, disaient-ils, avec Tourtelette, tu sais, Tourtelette, ce mauvais marchand qui s'est improvisé marin, un jour à Honfleur, et croyait faire rapide fortune en pratiquant la course* dans le Nouveau Monde, et qui a subi naufrages sur défaites? Paraît-il qu'il a perdu le goût du pain* dans cette dernière expédition où il a croisé une caravelle de de Navascués, mais là n'est pas notre histoire, car je te parlais des deux drôles qui étaient de son équipage et qui ont échappé au *capitán*.

— Que cherchais-tu à connaître de leur exploit?

— Une espèce de gaieté, de satisfaction qu'ils exprimaient et qui ne semblait pas toujours correspondre à une reconnaissance

— compréhensible, certes, mais par trop guillerette — d'être en vie.

— Diantre! Avec de Navascués, ils ont dû éviter le bûcher; il y a de quoi être «guilleret», comme tu dis.

— Certes, certes. Toutefois, il ressortait des singularités.

Cape-Rouge, arrivé à l'embranchement d'un chemin de terre qui mène à une masure plus soignée, plus proprette, s'arrête, répugnant de toute évidence à y entraîner son encombrante escorte. Soupirant bruyamment pour signifier que sa patience atteint un niveau proche de sa limite, il indique:

— Je suppose que ton flair a été éveillé par une indiscrétion de l'un des deux soulards, sinon ton instinct, aussi affûté que la pointe émoussée d'une hache en bois, se serait contenté de te faire ranger ta bourse que tu as maigre et radine. Allons, mon indulgence est à son terme, tu as droit à deux phrases pour terminer.

Le rire sans amusement de Feulion résonne une fois de plus avant qu'il obtempère.

— Alors, voici: les deux drôles m'ont communiqué l'emplacement de la cité secrète de Païtiti, la ville mystérieuse des Incas dont les murs, les planchers et les toits sont bâtis d'or pur, dont les rues sont pavées d'argent, dont les arbres bruissent de mille paillettes de diamants, dont les rivières charrient des perles, dont les bêtes — paraît-il, mais pourquoi ne pas le croire après l'énoncé de toutes les autres merveilles — chient des pierres précieuses, ce qui n'est pas rien, quand même, reconnais-le. Deuxième phrase : si tu veux bien t'associer à moi, j'accepte avec plaisir le secours de tes hommes et de ton galion afin que nous envahissions cette cité et que nous nous emparions de ses richesses pour notre plus grande fortune et notre plus grande gloire.

Il y a un long moment de silence où les deux hommes restent le regard fixé l'un sur l'autre, le souffle retenu, immobiles comme si l'univers venait, par quelque sort diabolique, de figer le monde. Le premier, diffusant une haleine de dents pourries, un rictus niais en guise de sourire pour exprimer, à la fois, sa satisfaction de l'effet produit et son expectative d'une exclamation de reconnaissance, attend que le second, son feutre ballant dans ses mains, un sourcil relevé pour toute manifestation d'émotion, éclate d'une joie remplie de gratitude.

S'il détone bien d'un rire si fort que les badauds à la ronde se tournent vers lui, Cape-Rouge se contente de pivoter sur les talons et de s'éloigner vers sa demeure, seul, cinglant, méprisant, en laissant derrière lui un Feulion dont les sentiments oscillent entre la surprise, la honte et la colère.

7

— Mort de mes os, Urbain! Éloigne-toi de moi que je n'hérite de ta colonie de tiques.

— Et comment veux-tu que je m'éloigne, sagouin, avec cette corde qui lie nos quatre poignets dans le dos?

— Eh bien, penche la tête vers l'avant, recroqueville-toi, glisse ce sac de farine entre nous, que sais-je!

Urbain ronchonne en se pelotonnant contre une pile de biscuits rances, donnant dans le même mouvement un coup de pied rageur au rat qui l'importune. Un baril vide roule jusqu'à lui, s'arrête, repart dans la direction opposée, revient, animé d'une danse chaotique qu'inspirent les bercements du navire au mouillage.

— Corbœuf! jure Urbain. Je vais devenir fou à ne pas pouvoir me gratter. Lionel! Par Saint-Elme, protecteur des marins, Lionel, je t'en supplie, de coups de tête, écrase-moi ce groupe de punaises qui me creusent une tranchée entre les omoplates.

— Et risquer d'éveiller leur attention à ma présence ? Grâce !

— Ho ! Cessez d'gigoter, là-bas, crasses de meule, crie un mauvais marin qui a hérité de la tâche ingrate de monter les barils d'eau croupie sur le pont et de redescendre les tonneaux frais. Si j'vous prends à tenter d'défaire vos liens, j'irai encore pisser su' vous autres, moé. Ça vous lavera que mieux.

— Et ta pisse, réplique Urbain, que les démangeaisons rendent impétueux, ne fera que moisir davantage cette mauvaise farine que tu as embarquée, pirate d'eau douce ! Il n'y a que la mère des rats qui se plaira à s'engraisser du fruit de tes méats.

— Calme, Urbain, tempère Lionel à qui répugne l'idée de devoir subir encore quelque avanie de leur geôlier mécontent.

L'homme qui travaille à fond de cale, un ancien bagnard évadé de Marseille qui répond au surnom de Bois-Bouillon à cause de cette noyade à laquelle il a échappé de justesse en tentant de fuir à la nage une galère du roi, abandonne son baril, tire un coutelas de sa ceinture et avance vers les prisonniers en lissant de sa main libre une barbe parsemée de restes de nourriture.

— Si c'était pas d'l'importance qu'vous accorde l'capitaine pour une raison qui m'est que trop obscure, j'me plairais à vous découper ainsi que deux mortadelles de mauvaise curée et à donner vos tripes aux chiens.

— Ah non, merci! réagit Lionel. Pour ce qui est des chiens, on y a échappé de juste, alors…

— Vraiment? s'intéresse Bois-Bouillon, en présentant sa dentition parcellaire et en soufflant une haleine de mauvais vin.

Il approche son nez bulbeux de Lionel en prenant soin d'éviter la peau grouillante d'Urbain. Il regarde en direction de l'écoutille, s'assure que personne ne descend l'échelle, et demande:

— Qu'est-ce donc que ce secret qu'vous traînez dans vos mauvaises têtes et qui rend Feulion si tendre à l'égard de parpaillots d'vot' espèce?

— Tu voudrais qu'on partage ce qu'on a découvert avec toi, mon bon Bois-Bouillon? raille Urbain sans desserrer les dents, un mauvais sourire dessiné sur ses lèvres. Et si ton capitaine apprenait que tu cherches à en savoir autant que lui, hein? Il te pendrait à la grande vergue.

— C'est mon affaire, affirme l'ancien galérien. Dites-moi ce secret qu'vous taisez, et j'vous libère sur-le-champ. Foi d'papiste.

— T'as ouï, Lionel? demande Urbain en se contorsionnant de manière à croiser le regard de son compagnon d'infortune. Si on a la parole d'un papiste, ça doit valoir mieux que celle d'un huguenot, non?

— Pas sûr, rétorque le jeune Gascon, un rictus ironique déformant les commissures de sa bouche. La seule différence, c'est qu'au moment de mourir, avant qu'on le balance en enfer, il devra expliquer à saint Pierre comment il en est arrivé, pour éviter les galères royales, à renier la Sainte Mère de Dieu, à pactiser avec le diable et à s'enrôler dans la piraterie.

— Alors, ta décision, c'est non? continue d'ironiser Urbain.

— C'est non.

— Donc, c'est non pour moi aussi. Désolé, Bois-Bouillon.

Le visage du geôlier devient cramoisi alors que, n'osant toujours pas toucher la crasse d'Urbain, il saisit Lionel au col pour appuyer sur son nez la pointe de sa lame.

— Vous m'révélez tout ou j'vous tue.

— Si on te révèle tout, tu vas nous tuer quand même, réplique Urbain. Alors, qu'est-ce qu'on y gagne ? Vaut mieux que tu nous tues sans rien savoir, comme ça, tu te retrouveras bredouille avec Feulion comme ennemi juré. Il n'y aura pas une île, pas une baie, pas un arbre dans toutes les forêts du Nouveau Monde où tu pourras te cacher de sa colère. On ne peut pas dire que ce sera intelligent de ta part.

Bois-Bouillon relâche le col de Lionel et se redresse en grognant comme un animal.

— Par les moustaches de ma grand-mère ! jure-t-il de façon curieuse. Vous êtes donc ben méchants, les parpaillots !

— Mais il y a une solution toute simple, prétend Urbain d'un ton badin.

— Tellement simple, approuve Lionel, que si ce papiste était intelligent, il y aurait déjà songé.

— Quoi ? De quoi parlez-vous ? interroge Bois-Bouillon.

— Tu nous libères d'abord pour nous prouver ta bonne foi, explique Urbain, et nous, par après, pour t'exprimer notre reconnaissance, nous te révélons tout ce que nous savons.

L'expression du pirate, une fraction de seconde, semble vouloir manifester du contentement, mais l'illusion est trop courte pour qu'on puisse rire de sa bêtise. Il lève les yeux au ciel en se grattant le dessous du menton avec son poignard.

— C'est sans issue, laisse-t-il tomber. Une fois libérés, vous m'direz rien et je devrai répondre devant Feulion de vot' évasion. Y m'fera subir le supplice de la grande cale. J'aime mieux pisser sur vous pour évacuer ma frustration.

— Attends, jette Urbain. Attends, grand singe, avant de nous arroser du mauvais vin que tu as bu. J'ai une solution. Pourquoi tu ne t'enfuirais pas avec nous? Comme ça, on n'échappera pas à ta vigilance et, à nous trois, on ne sera pas de trop pour manœuvrer ce brigantin.

— Quoi? s'étonne Lionel. Tu veux qu'on prenne le navire du capitaine Feulion?

— Évidemment. Sinon, comment échapper à nos poursuivants si nous débarquons sur l'île?

— Et les marins du brigantin? demande Lionel.

Urbain s'adresse à Bois-Bouillon:

— Combien êtes-vous, là-haut, sur le pont?

— Ben, j'sais pas, moi. Y en reste une dizaine, p't-être. Les autres sont à terre. Soit y s'occupent de l'approvisionnement, soit y sont en permission, soit y sont avec Feulion pour accueillir l'arrivée du capitaine Cape-Rouge.

— Ça peut se faire si on procède très vite. On s'arme chacun de deux pétrinaux et d'une arquebuse, et en cinq secondes on étend neuf matelots. Avec de la chance, s'il reste des matafs, ils ont sauté sur le quai ou plongé dans la baie. On coupe les amarres, on largue les voiles et on profite du vent de terre pour nous éloigner rapidement. Le temps que les hommes de Feulion qui sont au village comprennent ce qui arrive, qu'ils se regroupent et accourent, on aura déjà écarté le brigantin du bord en suffisance. Ensuite, même si on nous poursuit en barque, on ne saura rattraper nos voiles, et Feulion ne voudra pas faire tirer du canon sur son navire. Et si jamais il finit par convaincre Cape-Rouge de nous poursuivre, on sera déjà loin en direction des richesses dont nous seuls, mon compagnon et moi, connaissons la source.

— Des richesses, dis-tu? feule Bois-Bouillon, son intérêt se renouvelant après la peur que le projet d'Urbain a commencé à engendrer en lui.

— Plus que tu ne peux imaginer, réplique Lionel.

— Que même si tu avais cent vies, tu n'aurais pas le temps de dépenser, renchérit Urbain.

— Et on devient associés, un tiers chacun?

— Diantre! s'exclame Urbain. À la vie, à la mort. On a besoin de toi. À deux, impossible de réaliser ce plan d'évasion. Un papiste, deux huguenots.

— Mais trois chrétiens, tient à préciser Lionel.

— Et promis au diable, ricane Bois-Bouillon en plaçant un genou à terre entre ses deux prisonniers pour trancher la corde. Voilà, compagnons, vous êtes libres!

— À la bonne heure! lance Lionel.

— Enfin, enfin, enfin! psalmodie Urbain en s'y prenant à deux mains pour se gratter la poitrine, le ventre, les reins et l'entrecuisse, ses paupières papillotant à demi fermées en signe de volupté.

Lionel se relève en massant ses poignets. Il rit de Bois-Bouillon qui recule d'un pas, le poignard pointé devant lui, toujours incertain de l'affection que lui portent ses nouveaux alliés.

— Ne sois pas bête, ami papiste, rigole Urbain, et viens là que je te fasse l'accolade.

— T'es fol ? réplique le pirate. Avec c'te vermine qui t'mange le corps ? Reste à deux pas.

Retenant un rire trop fort qui exprimerait non seulement son amusement mais aussi son soulagement de retrouver la liberté, Urbain glousse, échange un claquement de paume avec Lionel puis dit à Bois-Bouillon :

— Trouve-nous des armes, maintenant.

— Par là, indique le pirate en désignant une armoire près de la porte qui mène à la sainte-barbe*. Il y a des arquebuses, et aussi des pétrinaux, de vieilles couleuvrines à mains...

— Pas de fers ?

— Si, si. Dans l'autre armoire en face. Des épées, des haches, des couteaux.

Urbain et Lionel s'arment de deux pétrinaux chacun puis de larges sabres et de poignards. Bois-Bouillon s'étonne :

— Et les arquebuses ? On prend pas les arquebuses pour vider le pont des marins qui restent ?

Urbain se place devant son ancien geôlier de manière à ce que la lumière venue de l'écoutille l'éclaire à contre-jour. L'expression de son visage s'avère imperceptible au papiste, mais pas le persiflage soudain :

— Tu as vraiment cru qu'on allait prendre le navire d'assaut, espèce d'oie ?

— Les anguilles ont dû te sucer la cervelle la fois où tu as failli te noyer, ajoute Lionel qui vient de se glisser derrière lui.

Bois-Bouillon n'a le temps ni de crier ni d'amorcer un mouvement de défense. Il voit la pointe du sabre apparaître devant ses yeux, à la gauche de sa poitrine, à la seconde même où il ressent une pinçure dans le dos, entre l'omoplate et l'épine dorsale. Lorsqu'il comprend que le cœur a dû être touché, la silhouette d'Urbain, la lumière de l'écoutille, les craquements du bateau, les odeurs de la cale, tout ce qui forme son univers, s'éteignent telle la lampe sur laquelle on vient de souffler.

Quand le corps du pirate s'abat contre les vaigres, Lionel retire son sabre. Pendant qu'il essuie le sang sur les vêtements de sa victime, il déclare à Urbain :

— Même moi, pendant deux secondes, j'ai cru à ton histoire de se saisir du navire.

— Je me flatte d'avoir un certain talent pour la comédie, convient Urbain en s'engageant sur l'échelle qui mène à l'écoutille. Mais ne dérivons pas du plan qu'on s'est donné.

— Rencontrer Cape-Rouge ?

— Celui-là même. Son soutien nous sera autrement plus favorable qu'accointance avec ce bêtassot de Feulion. Et nous avons besoin d'un galion bien armé, pas d'un brigantin muni de pierriers.

8

Dans une pièce attenante à sa maison, du côté où s'étend cette fascinante invention des Amériquains, un jardin de plantes — qu'entretient, justement, une Naturelle —, Cape-Rouge a réuni son état-major derrière une longue table. À dextre, on trouve d'abord son second, le bosco N'A-Qu'Un-Œil, ensuite Joseph, ancien gabier, maintenant trop âgé et trop perclus de rhumatismes pour grimper dans les haubans, mais qui s'est improvisé médecin de l'île[1]. Trois autres marins, parmi les plus appréciés de Cape-Rouge, achèvent d'animer ce côté de la table: Barbe-Rêche, Grenouille et Poing-de-Fer.

À senestre du maître de Lilith, pour sa volonté d'apprendre et, surtout, pour ses aptitudes à lire et à écrire, se tient Lucas, plume d'oie fraîchement biseautée à la main, rouleau de parchemin vierge devant lui. Son voisin de senestre n'est nul autre que le

---

1. Voir le tome 1, *Pirates – L'Île de la Licorne*.

dernier venu, Urael le Wayana, à qui Cape-Rouge se plaît à offrir des privilèges, sans que l'on comprenne trop pourquoi. Voilà qui ne manque pas de susciter quelques grognements parmi les matelots ignorés par la gratitude de leur capitaine, mais qui onques n'oseront se plaindre de vive voix. Engoncé dans une chemise trop étroite — à cause de ses muscles qui n'ont cessé de prendre du volume depuis qu'il a retrouvé une assiette quotidienne garnie —, son visage cuivré peint des tatouages guerriers propres à son ethnie, sa coiffure hissée en cône et piquée de plumes et d'os, armé d'un poignard à la ceinture et d'un arc en bandoulière, il présente une tournure pour le moins biscornue qui, en d'autres circonstances, pourrait prêter à rire, mais qui, au milieu d'une meute de pirates, impose plutôt estime et effroi. Pour terminer de combler ce côté de la table, on trouve Vernois, un charpentier, et Main-de-Graisse, le responsable des calfats.

Cette belle compagnie, rieuse en d'autres heures, querelleuse parfois, courageuse en tout temps, siège avec sérieux face au pauvre capitaine Feulion, debout à dix pas de la table. Celui-ci, après avoir réussi, à force d'insistance, à convaincre Cape-Rouge de l'écouter, se retrouve devant ce qui ressemble davantage à une cour de justice qu'à une bande de complices avec qui il ambitionnerait de s'associer. Ce diable de souverain à la mante écarlate, sans doute pour asseoir sa supériorité sur le commandant du *Géhennes*, pour démontrer sa puissance, son mépris et quoi d'autre encore, a choisi non pas une audience privée loin de toute oreille indiscrète, mais un véritable consistoire auquel il mêle tous ses affreux comme autant de cardinaux autour de leur pape.

— Parle, maintenant, invite Cape-Rouge. Nous t'écoutons.

— Ce que j'ai à te dire relève du secret, entame Feulion. Du mystère, même. Je te demande une dernière fois de ne pas y mêler tes gens.

— Ce que j'ai ouï, jusqu'à maintenant, me paraît plutôt des billevesées. Parle devant mes hommes ou ne nous casse plus jamais les oreilles avec tes histoires colportées par la rumeur.

— Ce ne sont pas des rumeurs, s'offusque Feulion, qui note les rictus amusés devant lui.

Sans plus se soucier du secret, piqué, il lance :

— J'ai acquis par la manière dont je t'ai entretenu plus tôt la certitude que Païtiti — ou toute autre cité au nom dont je me balance, mais croulant sous le poids de l'or, de l'argent, des perles et des diamants — a été découverte sur la *Tierra Firme*, le continent. Je requiers ton assistance pour l'assaillir et l'assiéger. Mes hommes ne sont pas assez nombreux, pas assez aguerris, pas assez armés pour cette expédition. Mais avec ton appui…

— Si cette cité existe vraiment, demande Joseph de sa voix douce et posée, et que le redoutable Cape-Rouge peut la conquérir sans appui extérieur, pourquoi devrait-il s'embarrasser de l'équipage d'un brigantin peu nombreux, peu aguerri et imparfaitement armé?

— Parce que je suis le seul à pouvoir vous y guider, rétorque Feulion.

— Je croyais que tu tenais cette information de deux hommes que tu as rencontrés, fait mine de s'étonner Cape-Rouge.

— C'est vrai. Mais j'ai obtenu d'eux toute l'information dont j'avais besoin. Par gratitude, je leur ai offert de séjourner dans un paradis qui m'appartient — cachés au cœur d'une crique secrète, loin d'ici —, dans l'attente que je conquière la cité cachée et revienne verser dans leur bourse la part qui leur revient.

— Autrement dit, tu les tiens prisonniers quelque part? interroge N'A-Qu'Un-Œil.

— Que vas-tu imaginer là, méchant drôle?

— Ou tu les as déjà occis? questionne Grenouille.

— Point du tout!

— S'ils vivent encore, c'est qu'ils n'ont rien dit, affirme Barbe-Rêche.

— Ou que tu doutes de leur parole, rajoute N'A-Qu'Un-Œil.

— Point du tout!

— Pourquoi n'as-tu pas jugé pertinent que ces hommes t'accompagnent? demande Main-de-Graisse.

— Pour nous convaincre de ta bonne foi? enchérit Joseph.

— Et de leur bonne foi à eux? précise Poing-de-Fer.

— Mais… mais…

— Si tu tiens à ce que nous engagions l'*Ouragan* dans une aventure d'un tel péril…, entame Vernois.

— ... il te faudra davantage que des rumeurs colportées par des gens dont on ignore s'ils existent, complète Grenouille.

— Ou ont existé, parachève Barbe-Rêche en jetant à Feulion un regard si équivoque que ce dernier, déjà à demi défait au centre de la pièce, donne l'impression qu'il va s'écrouler.

La plume de Lucas court sur le parchemin à un rythme fou, le garçon peinant à suivre le débit rapide des interventions. De nombreuses gouttelettes d'un noir profond maculent la table entre le petit encrier et le bout de vélin. Ne pouvant retranscrire l'entièreté des propos, il se contente d'en reproduire l'esprit selon le meilleur de sa perception.

— Mais enfin, Cape-Rouge! s'exclame Feulion dans un brusque regain de vie — ce qui le fouette également d'un zeste de courage. Pourquoi restes-tu coi? Quel maître joues-tu là à laisser s'exprimer tes sous-verge sans énoncer tes propres pensées?

— C'est peut-être que mes pensées se marient à celles de mes hommes, réplique le pirate d'un ton qui tient plus du rauquement que de la voix. Si ce que tu dis est vrai, si tu es associé à deux hommes pour nous mener à la richesse, pourquoi es-tu seul, ici, devant nous ?

La mine de Feulion oscille un moment entre la peur que lui inspire le ramassis d'hommes méprisants en face de lui et la colère de faire l'objet de si peu de considération. Se forgeant des traits hautains, cambrant les reins, une main sur la pomme de son sabre, il lâche :

— Je suis un honnête marin. J'ai pour compagnons deux hommes qui ont mis la main sur des richesses inouïes. Je viens t'offrir, à toi et à ces dédaigneux qui t'entourent, le privilège de les partager, et vois comment vous me traitez.

Le nez en l'air, il tourne les talons, bien décidé à marcher les cent, cent vingt empans* qui le séparent de la large porte, mais aspirant de tout son être à ce qu'on l'arrête avant la sortie pour lui offrir de poursuivre la discussion. Il fait un pas... deux pas...

— C'est qu'il est mécontent ! semble s'étonner Barbe-Rêche.

Trois pas...

— Je note que la réunion est terminée, capitaine ? demande Lucas.

Quatre pas... cinq pas...

— Feulion, appelle Cape-Rouge.

« Cordiable! songe le commandant du *Géhennes*. Je me suis retourné juste un peu trop vite pour masquer mon soulagement. »

— Tu changes d'idée, Cape-Rouge?

— Je n'ai encore émis aucune idée susceptible d'être changée. Tu parles de choses improbables, mais en même temps, elles ne sont pas impossibles. Parfois, les on-dit reposent sur quelque vérité.

Cape-Rouge gire vers Urael et lui traduit les grandes lignes de la discussion. Il lui demande:

— Selon toi, cette cité existe-t-elle?

— Tous les peuples le confirmeront, répond l'Amériquain. Tous les peuples possèdent une légende qui traite de cette ville mystérieuse, mais aucun ne saurait la trouver.

— Est-il possible, cependant, que les Espagnols l'aient trouvée par hasard?

— Si on croit à son existence, on peut croire à l'éventualité de la découvrir de manière fortuite.

Cape-Rouge observe sa recrue en silence comme s'il espérait plus de précisions, mais Urael ne semble pas disposé à parler davantage. Sans doute ne sait-il rien de plus de cette ville de légende. Le pirate se tourne de nouveau vers Feulion.

— Si ton histoire est vraie, commence-t-il, si, après consultation entre nous, nous jugeons ta démarche honnête, nous nous associerons avec toi, oui. Mais puisque nous assumerons le plus gros des frais et des risques, nous garderons les trois quarts des parts.

— Moitié-moitié, s'offusque Feulion. Sans moi, onques tu ne sauras trouver la cité cachée.

— Qui te dit que je n'y parviendrais point?

— Combien d'aventuriers espagnols et portugais ont essayé avant nous? Personne ne l'a pu trouver, sauf ces deux amis miens. Non. Sans moi, tu ne trouveras pas.

— Deux tiers, un tiers.

Feulion pousse un bruyant soupir qui exprime l'impatience de celui qui considère avoir déjà usé d'assez de largesse, mais en vérité, c'est pour se retenir de sauter de joie.

— Bon, ça va, un tiers pour moi. Mais tu me devras ta reconnaissance à jamais, car sans moi…

De puissants coups de butoir sur la porte l'interrompent. Dans un même mouvement,

Cape-Rouge et ses hommes sont debout, qui un sabre à la main, qui son pétrinal, qui son arc.

— Qui va là? gronde Cape-Rouge de sa voix la plus autoritaire.

— J'suis la vigile, cap'taine, répond une voix à l'extérieur. J'veux d'mander l'autorisation d'entrer. C'pour une affaire urgente.

— Prie que je la juge d'autant d'importance, rétorque Cape-Rouge pendant que, en ordres silencieux exprimés par signes, il positionne N'A-Qu'Un-Œil, Barbe-Rêche, Poing-de-Fer et Urael de chaque côté de l'huis.

Lucas, sous l'indice impérieux de son capitaine, contourne la table à son tour et, sabre au clair, s'avance vers l'entrée pour ouvrir. Dans l'ouverture, la tête un peu abrutie de la sentinelle en devoir — un fripon qui paie pour quelque écart de discipline — se présente pour annoncer:

— J'm'excuse d'interrompre vot' conseil, cap'taine. Mais y a là deux drôles qu'on vient d'saisir et qui ambitionnaient de s'introduire nuitamment dans l'entourage de vot' maison.

— Quels insensés osent agir de la sorte? grince Cape-Rouge, le visage aussi empourpré que sa mante.

— C'est pas des hommes à nous, cap'taine, répond la sentinelle qui n'ose pas avancer plus loin que le seuil. C'est des marins du *Géhennes*.

— Comment? Mes marins? s'exclame Feulion.

La sentinelle lui jette un œil embarrassé puis s'adresse vivement à Cape-Rouge comme si elle réclamait là, de son commandant, une protection silencieuse. Rapidement, elle précise:

— En fait, cap'taine, v'là deux prisonniers qui viennent d's'évader des cales du *Géhennes* et qui réclament vot' protection.

L'éclat de rire général qui sourd des poitrines de Cape-Rouge et de son état-major prouve à Feulion que chacun a compris: les deux prisonniers en question représentent les sources secrètes que le pirate gardait «dans un paradis caché». Il vient de perdre les seuls atouts qu'il détenait pour convaincre les pirates de l'*Ouragan* de s'allier à lui.

Pis! Il vient de perdre le tiers des richesses de la cité d'or.

9

Dans un lent mouvement de rotation, sous l'azur immaculé du ciel, Feulion peut apprécier un panorama de Baie du Diable : les hauteurs à demi chauves du centre de Lilith, leurs versants plus verdoyants, le cône du volcan bleui par la distance et qui se découpe derrière la ligne des arbres, les toits des habitations de l'agglomération, certains de chaume, d'autres de tuiles, la rue principale pavée de bois, les ruelles poussiéreuses. Puis il voit la plage, le quai, les rouleaux de mer tranquilles qui viennent se cogner aux piliers du quai ou contre les coques des embarcations, de celles de l'*Ouragan* et du *Géhennes*. Ce qu'il voit surtout, ce sont ces mines railleuses et méprisantes qui le dévisagent. Les mines des habitants de Lilith, les suppôts de Cape-Rouge venus se gausser de sa déconvenue. Il y a aussi ses propres hommes qui l'observent, du pont de son brigantin, l'air davantage inquiet que peiné.

Voilà peut-être ce qui l'enrage le plus tandis qu'il se balance pendu par les pouces au gibet de Baie du Diable.

Feulion, toutefois, se garde bien de cracher sa hargne. Cape-Rouge vient d'arriver, enveloppé comme toujours dans cette mante qui lui a donné son nom, accompagné de ses inséparables sbires, N'A-Qu'Un-Œil, le jeune Lucas et Urael. Les quatre hommes se fraient un passage au milieu de l'attroupement avant de monter les cinq marches qui mènent à la plate-forme, là où balle le persécuté.

Le soleil a émergé quelques minutes plus tôt de la ligne d'eau à l'est et frappe déjà d'une lumière violente les flancs de l'île. La chaleur atteindra bientôt les confins du supportable et, après une seule journée de ce régime, Feulion sait que son cerveau bouillira sous son crâne trop mince. Sans compter que la soif l'aura déjà rendu fou. Pas question donc de provoquer le maître de Lilith.

— Ah! Mon ami Cape-Rouge, qui me fait cette blague cruelle, mais bien méritée après le tour que je t'ai joué, s'exclame le pirate en s'efforçant de napper de gaieté une voix vibrante de peur et de douleur. Tu viens me délivrer, n'est-ce pas? Tu t'es dit qu'une seule nuit ainsi pendu serait suffisante pour m'exprimer la contrariété que je t'ai inspirée à ne pas exposer tous les éléments à ta connaissance.

— C'est fou ce qu'il jacte! émet N'A-Qu'Un-Œil en fixant le supplicié.

— On aurait dû le pendre par la langue, regrette Lucas.

— Vous, mes méchants confrères, réplique Feulion, je vous soupçonne de dire du mal de moi à mon ami Cape-Rouge et d'introduire dans son cœur quelque animosité à mon égard. Si vous saviez comme lui et moi, nous...

— Boucle-la, Feulion! ordonne Cape-Rouge. Si toi et moi avons déjà navigué de concert, il ne saurait plus en être question tant ton âme s'est aigrie au vu de mes succès.

Le maître de Lilith rajuste son couvre-chef de façon à protéger ses yeux du soleil qui rase les flots. Il s'adresse à Urael qui transporte en bandoulière un sac en peau de chèvre, déformé tellement il est lourd.

— Montre-lui.

Le Naturel pose le sac au sol et l'ouvre pour exhiber huit boulets de canon de quatre livres.

— Nous allons ajouter à ta peine, annonce calmement Cape-Rouge, en pendant ces pièces à tes chevilles.

— Ca… Cape-Rouge, mon ami, balbutie Feulion, sa moustache tordue dans un rictus de peur. Tu ne vas pas me punir de la sorte pour ce petit mensonge que je t'ai fait? Ce n'était pas méchanceté de ma part, mais seulement ruse de marchand, tactique de barguignage. Tu ne vas pas faire en sorte que les pouces m'arrachent, dis, mon ami Cape-Rouge?

— Si je suis indulgent avec toi, quelle crédibilité aurai-je par la suite auprès de mes gens? On dira que je vieillis, que je m'attendris. Pis! On dira que tu as trouvé les arguments pour me convaincre de me montrer clément à ton égard, toi, que chacun connaît pour jacassier et menteur.

— Non, Cape-Rouge! Tes gens diront que tu es bon et généreux et ne t'honoreront que davantage. Je t'en prie, je t'en supplie! Que ferai-je par la suite, sans plus de pouces pour tenir mon sabre ou mon pétrinal? Je ne serai plus qu'un mendiant sur ton île, car incapable de reprendre la mer et de commander à mes gens qui ne voudront plus de moi comme capitaine.

— Énonce ta propre sentence, alors, propose Cape-Rouge en roulant du bout du pied les boulets au sol.

Feulion joue des hanches pour maintenir son corps orienté vers ses interlocuteurs et, à chacun de ses efforts, a l'impression que ses pouces vont se séparer de leur cartilage. Il rétorque :

— Ma propre sentence ? Mais… Ne suis-je pas assez puni ? Tout ce mépris que tes gens me vouent ? Tout mon honneur que j'aurai à regagner de mes matelots qui m'observent en ce moment du pont de mon brigantin ? Ne sont-ce point là des éléments à considérer dans ce châtiment que tu m'as infligé ? Il est mérité, je ne le conteste pas, mais il est suffisant, mordiou ! Cape-Rouge, mon ami…

— Vingt-cinq coups de fouet.

— Quoi ?

Cape-Rouge se tourne vers ses hommes.

— Vingt-cinq coups de fouet. Qu'en dites-vous ?

— À condition que ce ne soit pas une mauviette qui les donne, recommande N'A-Qu'Un-Œil en crachant sur le plancher du gibet.

— Ça lui permettra de sauver ses pouces, précise Lucas d'un ton déçu.

— Vingt-cinq coups de fouet, alors! confirme Cape-Rouge en retenant Feulion par la taille pour bloquer son mouvement de rotation. Ainsi, tu es puni et je conserve ma réputation de maître juste, mais sans pitié. Par la suite, tu rembarques dans ton esquif et tu disparais.

— Mais enfin, mon compère! Tout ça pour deux minables évadés que j'ai gardés dans mes cales le temps de…

— Ce que tu mets dans tes cales, Feulion, je n'en ai rien à faire. Le sort que tu réserves à tes hommes, la fourberie dont tu uses envers autrui, je m'en soucie comme de mon premier pet, mais onques je ne tolérerai que tu viennes chez moi et me mentes effrontément devant mes hommes.

Visage levé vers le supplicié, son feutre ne protégeant plus ses yeux du soleil, ses pupilles flamboyantes comme les feux qui ont détruit Puerto Dia Feliz, dents serrées, Cape-Rouge conclut:

— Ça, le mensonge, Feulion, je ne tolère pas.

Et il se détourne d'un mouvement vif pour descendre les marches. Au passage, il donne une tape sur le bras de N'A-Qu'Un-Œil et ordonne :

— Annonce toi-même la sentence à la foule et exécute-la. Comme ça, tu seras assuré que ce n'est pas une mauviette qui s'en acquittera.

Au milieu de l'assistance qui a enflé, mais qui, pour le laisser passer, s'ouvre devant lui aussi facilement que les vagues sous le taille-mer, Cape-Rouge, avec Lucas et Urael sur les talons, remonte en direction de ses quartiers au centre du bourg. Chacun les regarde passer en affichant une expression où se mêlent le respect et la peur.

À mi-chemin, Barbe-Rêche apparaît, les moustaches plus drues que jamais, une sueur fine perlant dans les plis de ses rides. Sous la lumière coupante du matin, il paraît plus âgé, sa peau tel un cuir tanné à l'excès, ses joues anguleuses qui rappellent la lame d'une guisarme, ses paupières lâches ainsi qu'un sac rempli de boulets. Il est vrai qu'il a peu dormi.

— Capitaine, annonce-t-il en arrivant à la hauteur de Cape-Rouge, les prisonniers sont en mesure de vous rencontrer.

— Fort bien, réplique le maître de Lilith.

— Il y en a un qui était si sale, ma foi ! Même chez les porcs, je n'avais vu tant de vermine à la fois.

— Tu l'as décrassé ?

— Il a baigné une heure dans un baril rempli d'une part d'eau et d'une part de vinaigre. Le drôle se débattait furieusement quand on lui immergeait la tête dans le bouillon. D'ailleurs…

Barbe-Rêche souffle quelques secondes tandis que, afin de ne pas se trouver distancé, il s'évertue à maintenir le pas rapide de son chef. Il reprend :

— D'ailleurs, ça nous a permis de trouver un couteau dans sa tignasse.

Cape-Rouge ralentit en guignant vers Barbe-Rêche.

— Dans sa tignasse ?

— Comme je vous dis. Mais il ne nous jouera plus le tour ; je l'ai fait tondre par Joseph.

Dans la pièce même où a eu lieu l'interrogatoire de Feulion, la veille, Cape-Rouge, debout cette fois, en compagnie de Lucas et Urael, attend que Barbe-Rêche et Poing-de-Fer amènent les prisonniers. En fait, peut-être devrait-on les appeler « réfugiés », car les deux hommes ont demandé protection au maître de Lilith.

— En fonction de ce qu'ils nous apprendront, nous déciderons de leur sort, affirme le capitaine des pirates.

Poing-de-Fer amène le premier captif, un garçon de quinze ans à peine, mains liées, cheveux aux épaules, torse nu, sans sabots, vêtu d'un simple haut-de-chausses usé quoique décrotté.

— Allez, présente-toi au capitaine Cape-Rouge, ordonne Poing-de-Fer.

— Je m'appelle Lionel Sanbourg, capitaine, annonce aussitôt le jeune Gascon en fixant Cape-Rouge d'une expression empreinte de respect que la peur entretient — en dépit de sa surprise de constater que le redoutable pirate n'est guère plus grand que lui. Je suis originaire de Saint-Gaudens, en Gascogne. Mes parents, il y a trois ans passés, ont fui les guerres de religion. Nous avons rejoint la Bretagne. Là, à Honfleur, j'ai trouvé à m'embarquer pour le Nouveau Monde. À bord du *Coin Breton*, le chébec du capitaine Tourtelette. Pendant deux ans, je l'ai servi loyalement. Juré, capitaine. Jusqu'à ce que nous soyons pris par les hommes du *capitán* Luis Melitón de Navascués, il y a plusieurs jours déjà.

Contre toute attente, Cape-Rouge éclate de rire. Il jette un regard circulaire à ses hommes en plaisantant :

— Il est aussi jacteur que Feulion, celui-là ! Comment ne se sont-ils pas senti plus de liens l'un avec l'autre ?

Lionel déglutit en s'efforçant de ne pas s'attarder à ces bouches à demi édentées, à l'émail noirci, à ces yeux noirs — forcément mauvais — qui le fixent pendant que l'on rit de concert avec le capitaine. Le garçon va ajouter quelque excuse quand il se fait bousculer par l'arrivée d'Urbain. Sans ménagement, Barbe-Rêche pousse devant lui son prisonnier chez qui les meurtrissures encore saignantes causées par la lame mal affûtée révèlent qu'on vient de lui raser le crâne. Sans plus cette épaisse barbe qui lui mangeait les joues jusqu'aux yeux, on discerne avec netteté les alvéoles profondes qui grêlent sa peau. Vêtu comme son compagnon, uniquement d'un haut-de-chausses, il laisse voir les diverses cicatrices qui couvrent son corps, témoins à la fois silencieux et loquaces de son dur passé d'aventurier. Furoncles et rougeurs d'insectes tapissent ses chairs,

notamment près des aisselles et dans la sai-
gnée des coudes.

— Présente-toi, ordonne Barbe-Rêche.

— Inutile, intervient Cape-Rouge, la
paume levée, son regard fixé sur Urbain.

Ce dernier ancre son regard dans celui
du capitaine et troque l'expression de défi
qu'il affichait pour une mine abasourdie.

— Inutile, répète Cape-Rouge. Je le
connais.

Dans le jardin de plantes, sur un banc de
pierre sis au pied d'un mur de même facture,
entourés d'hibiscus, de cormiers, d'euphor-
bes et de frangipaniers, enivrés des parfums
de fleurs de tant d'espèces nouvelles que leur
nom leur est inconnu, un gobelet du meilleur
vin entre les mains, Urbain et Cape-Rouge,
seuls, sans plus Lionel, sans plus les pirates
autour d'eux, sont engagés dans une conversation feutrée, unis par leurs souvenirs.

— Armand... Armand..., psalmodie
Urbain qui a revêtu une chemise, car l'humidité de la plantation aboutée à la brise marine
fraîchit le fond de l'air. Vois ce que tu es
devenu! Maître de tout un monde. Parti de

simple matelot, il y a... combien de temps, dis-moi?

— Je ne sais trop, répond Cape-Rouge qui a délaissé sa mante comme s'il n'avait plus, pour l'instant, aucun rôle de commandant à jouer. Quinze ans? Seize?

— Ce Jacques Cartier! lâche Urbain. Quel hiver nous avons connu!

— Ce mal de terre; tous ces souffrants autour de nous! Tous ces Indiens qui nous menaçaient!

— Je me souviens que tu prenais grandement soin de l'un des malades, l'un de ceux qui ont succombé au mal. Son nom... son nom...

— Jean-Baptiste Poivre, répond Cape-Rouge, d'un air vaguement embarrassé[2]. Il est mort, oui. Et j'ai juré, à ce moment, que onques je ne m'embarquerais pour trouver la route du Nord-Ouest. Que onques je ne monterais ni ne descendrais au-delà des tropiques.

Urbain passe une main sur son crâne frais rasé dans un geste qui, depuis le matin,

---

2. Pour tous les détails concernant l'avènement d'Armand comme capitaine de l'*Ouragan*, voir le tome 1, *Pirates – L'Île de la Licorne*.

est devenu un tic. On dirait qu'il s'étonne encore de le trouver si nu, peut-être de cette nudité dont parlait Urael : la nudité de l'homme désarmé. Il prend une lampée dans son gobelet en scrutant le profil de son ancien compagnon d'aventure qui fixe la mer, au loin. Après avoir dégluti, il demande :

— Comment es-tu parvenu, toi qui partageais mon destin, à devenir, des années plus tard, le pirate le plus craint des îles du Pérou ?

Cape-Rouge tourne vers Urbain un visage où il est inscrit dans chaque pli de ses lèvres, dans chaque ligne autour de ses yeux, dans chaque goutte de lumière de ses pupilles, qu'il ne dira que ce qu'il a envie que l'on sache.

— Cette histoire est trop longue. J'ai vécu beaucoup d'aventures avant d'hériter de l'*Ouragan* et d'imposer le nom de Cape-Rouge dans le Nouveau Monde. Mais toi, Urbain, toi avec qui j'ai côtoyé la mort pendant ce terrible hiver en Canada, qu'as-tu fait depuis ?

— Oh, moi ! Tu sais, contrairement à toi, je ne me suis pas rebuté assez de voyager avec ce marin de Saint-Malo. J'aurais dû. Il n'avait pas assez d'autorité sur les hommes, et il ne savait pas s'attirer les faveurs des Indiens. Cinq ans après notre mésaventure, je me suis embarqué avec lui pour son troisième périple au port de la rivière Sainte-Croix*, près de Stadaconé*. Quatre lieues plus loin, nous avons bâti un fort dans le dessein d'y établir la première colonie permanente en Canada. Nous l'avons appelé Charlesbourg-Royal*. Mais, pendant que notre capitaine, accompagné de quelques mariniers seulement, remontait le fleuve jusqu'à Hochelaga*, le désœuvrement s'est emparé de ceux qui étaient restés au fort.

Urbain jette un regard de biais à Cape-Rouge, tel le coupable pris en faute.

— Armand, reprend-il, je n'étais pas mêlé à cette horreur, mais je n'ai rien fait pour l'en empêcher.

— De quelle horreur parles-tu ?

— Plusieurs parmi nous, à l'image des Espagnols en ces eaux du Pérou, persuadés que les Indiens n'ont ni âme à convertir ni cœur pour souffrir, se sont plu à expérimenter.

Une pâleur soudaine sur les traits de son visage trahit l'atrocité des images qui resurgissent dans la tête d'Urbain. S'impatientant qu'il ne poursuive pas, Cape-Rouge insiste :

— Et qu'ont-ils expérimenté?

— Ils se disaient pour se justifier : « Ce sont des Sauvages qui vivent dans la forêt ainsi que des bêtes. Ils sont tels des chiens, des chevreuils, des ours, des vilains singes qui marchent sur deux pattes comme nous, mais ce ne sont pas des hommes. » Avec des haches, Armand, et des épées et des couteaux, ils ont coupé des bras et des jambes d'Indiens. Des têtes d'Indiens. Ils disaient chercher à instaurer chez les Sauvages une terreur à même d'en faire de bons serviteurs soumis. Ils disaient que le capitaine, à son retour, serait content de leur initiative. Ils prétendaient s'efforcer d'établir le pouvoir français en ce pays. Moi, Armand, je sais. Je sais que ces hommes s'amusaient simplement à passer le temps.

Ensuite, quand Cartier est revenu, les Indiens étaient devenus si hostiles à notre endroit que trente-cinq d'entre nous avaient déjà été massacrés. Nous avons dû rapailler nos biens et filer en abandonnant là nos beaux projets d'offrir à François Ier sa colonie en Nouvelle-France.

D'un air impassible, Cape-Rouge fixe son ancien pair dont le visage est plus pâle encore, les yeux plus fuyants, les lèvres plus frémissantes. Le maître de Lilith porte son gobelet à sa bouche en buvant lentement, laissant les images tourbillonner un moment encore dans la mémoire d'Urbain puis, enchérissant d'un ton incrédule, demande :

— Comment peux-tu me jouer cette comédie du témoin impuissant, prétendre le remuement, quand depuis ce temps tu parcours les mers dans les bottes d'un pirate, trompant, larronnant, tuant ?

— C'est vrai, Armand, rétorque Urbain incontinent, je suis pirate et j'ai tué bien du monde, bien des innocents qui n'avaient pour toute faute que d'avoir croisé ma route. Mais je l'ai toujours fait dans le but de sauver ma peau et de m'emparer de richesses. Onques je n'ai tué pour le plaisir de la chose, Armand ; onques je n'ai tué un Sauvage que parce qu'il est un Sauvage. Onques je n'ai coupé ni bras ni jambe de qui que ce soit dans le simple but de m'amuser de son expression horrifiée. Tu comprends ça, pas vrai ? Tu fais la différence entre un tueur et…

Il a un geste vague de sa main libre. Il fait une moue indiquant qu'il cherche un terme approprié. Il finit par hausser les épaules et poursuit :

— … et un malade.

Cape-Rouge blêmit, retenant avec peine quelques nouveaux tics qui agitent les muscles de son visage. Malade! Est-ce cela? Son esprit serait-il pourri, détraqué, à force d'user de violence pour asseoir son autorité? À quel moment a-t-il fini par se plaire à voir souffrir ses victimes? à les ouïr gémir puis hurler? À quel moment a-t-il usé de la torture davantage pour s'en délecter que pour terrifier ses rivaux?

Combien il a changé dans les dernières années! Combien il a trouvé confiance en ses moyens, en son intelligence, en ses capacités de commander, de jouter sur les mers! Combien il a appris à prendre plaisir à leurrer ses proies, ses poursuivants, à frapper où on ne l'attend pas, à fuir par où on ne le surveille plus. Combien il a appris à devenir méchant!

— Tu crois que je suis malade, Urbain?

Ce dernier remarque la pâleur de son vis-à-vis et comprend l'accusation, voire l'insulte, involontaire qu'il a proférée envers le maître de Lilith. Il se reprend vivement:

— Oh! Non. Enfin… je veux dire… ni toi ni moi n'avons les mérites pour nous prévaloir du paradis, mais il doit bien se trouver différents paliers d'enfer, non? Ce n'est pas possible que toi et moi côtoyions, pour l'éternité, les ordures qui accompagnaient Cartier, ou les Espagnols qui traitent les Sauvages pis que leurs chiens?

— Je serai sûrement dans le même chaudron que les hommes de Cartier.

— Mais à l'instar de moi, tu respectes les Indiens pour ce qu'ils sont: des hommes. On le dit.

— Et on dit bien, réplique Cape-Rouge. Je massacre les Espagnols, les Portugais, les Basques, les Hollandais, les Anglais… pas les Indiens. Je leur dois beaucoup. De m'avoir recueilli pendant deux ans après un naufrage, de m'avoir ensuite pardonné quelques fautes. Et puis…

Il va rappeler qu'un cacique kalinago est à l'origine de sa bonne fortune et de son bonheur actuel, mais estimant à la dernière seconde qu'il s'agit là de trop de confidences, il balaie l'air de la main en concluant simplement:

— Et puis, voilà! J'épargne les Indiens que je peux épargner et massacre ceux qui les voudraient molester.

Cape-Rouge se penche pour saisir la bouteille à ses pieds et se reverse du Poulsard, un vieux cépage dont regorgeaient les cales d'un navire portugais qu'il a pillé des mois auparavant. Après avoir rempli également le gobelet d'Urbain, considérant que le temps des ressouvenances est maintenant à son terme, il s'informe :

— Maintenant, parle-moi de cette histoire que tu as contée à Feulion à propos de Païtiti, cette cité cachée que tu aurais trouvée. Que dois-je croire ?

Urbain échappe un petit rire moqueur.

— Feulion t'a vraiment entretenu de ce récit ?

— Il mentait ? Ce n'est pas ce dont tu lui as parlé ?

— Dans les grandes lignes, oui. Mais c'est pitié de constater que ce pirate est si stupide ! C'est à se demander comment il a pu se retrouver à la tête d'un équipage prêt à le suivre.

— Sans doute parce que ses hommes sont encore plus bêtes que lui. Personnellement, je n'en voudrais aucun parmi mes gens. Alors ? Cette histoire ?

— Je ne te cacherai rien. Mon but était de te venir trouver... en fait, trouver le pirate Cape-Rouge, afin de m'associer avec lui.

— Dis toujours.

— Le capitaine Tourtelette avait ouï des rumeurs selon lesquelles de grandes richesses avaient commencé à transiter par Virgen-Santa-del-Mundo-Nuevo.

— C'est un port insignifiant, un vulgaire comptoir sans importance. Au mieux, une palanque.

— Je le croyais aussi. Mais quand je m'y suis trouvé, j'ai pu constater qu'on fortifie le vulgaire comptoir en question. À l'intérieur de la clôture de palis, on bâtit un préside, une redoute. Pourquoi renforcer une place si on n'y entrepose rien qui mérite d'être protégé?

— Les Espagnols veulent peut-être y établir une tête de pont pour leurs excursions en forêt. Ils aiment explorer, on le sait. Pendant qu'ils s'évertuent à suer dans les bassins à fièvres, nous, nous les attendons en haute mer pour saisir leurs richesses.

— C'est là une juste supputation, Armand. Toutefois, pendant que je croupissais dans la prison du *capitán* Luis Melitón de Navascués, j'ai été témoin de l'arrivée d'une colonne d'esclaves. Les Tupinambás qui nous gardaient me l'ont confirmé: les Espagnols ont trouvé une cité cachée dont la richesse saurait égaler toutes les possessions de Charles Quint et de Henri II réunies.

Cape-Rouge fixe Urbain avec une intensité telle qu'il ne remarque pas le vin qui fuit du rebord de son gobelet en maculant le tissu de ses chausses à la hauteur du genou. Il entrouvre à peine les lèvres pour demander :

— Et tu voudrais qu'on débusque cette cité à notre tour afin de la dérober à la convoitise des Espagnols ?

Urbain, amusé par la lueur de rapacité qu'il vient de faire naître dans le regard du maître de Lilith, ricasse tandis qu'il répond :

— Non pas. Comme tu l'affirmes si bien, pourquoi se tuer à traverser le pays des serpents et des cannibales quand les papalins* d'Espagne le font si bien pour nous ? Attaquons plutôt Virgen-Santa-del-Mundo-Nuevo avant qu'elle devienne imprenable. Pressons-nous d'abattre ses murs encore frais et pillons ses richesses nouvelles. Quand nous serons maîtres des lieux, que nous y aurons massacré tous les Espagnols susceptibles de trahir le secret de la cité cachée, nous trouverons bien quelques alliés amériquains qui nous ouvriront un chemin commode et assuré jusqu'à cette source d'opulence.

Il vide son gobelet d'un trait, donnant de la théâtralité à sa gestuelle, puis se penche vers Cape-Rouge en frottant son crâne avec la paume. Il conclut :

— Nous deviendrons si riches, Armand, que nous pourrons revenir en terre chrétienne acheter les empires catholiques afin de les mener à notre guise, ou mieux ! reprendre le Nouveau Monde en nous ralliant les vice-rois ainsi que les mercenaires à leur solde, et transformer cette terre en paradis pour nous et les Naturels.

Cape-Rouge demeure songeur en fixant le regard d'Urbain. Évalue-t-il, de son ancien compagnon de navigation, la part de vérité et de mensonge ? ou plutôt se fait-il une première idée des risques potentiels de l'entreprise ? Avant qu'il ne puisse émettre un commentaire, l'Amériquaine qui s'occupe du jardin se manifeste.

— Capitaine ! lance-t-elle en arawak du bout de l'allée où elle n'ose s'avancer plus. Il y a là un homme qui insiste pour vous voir.

— Qui donc ?

Avant que la femme puisse répondre, la tête tondue à la césarine de Cloche-Pied apparaît derrière son épaule.

— Capitaine Cape-Rouge! lance celui-ci en se maintenant avec peine sur sa béquille tant il paraît excité.

— Eh bien, Cloche-Pied! Depuis quand se présente-t-on ici comme dans une taverne?

— Je voulais vous dire que le *Géhennes* vient de quitter le quai, capitaine.

— Et alors?

— Feulion quitte Baie du Diable, capitaine!

— Feulion n'était plus prisonnier, que je sache. Sa faute expiée, il est libre de partir si tel est son vouloir.

— Sans même saluer la côte d'une salve à blanc comme c'est ici coutume?

— Depuis quand te soucies-tu de protocole, Cloche-Pied?

— Depuis que Feulion, à son arrivée, ne m'a point remis les têtes d'Espagnols qu'il m'avait promises pour ma collection.

Maugréant, le pirate unijambiste pivote sur sa béquille et disparaît. La femme présente une mine navrée et attend la réaction de Cape-Rouge. Ce dernier la renvoie d'un mouvement agacé de la main. Pendant de longues secondes, il n'ose plus lever les yeux vers Urbain. Malade, disait celui-ci. Est-ce malade de jouer à entretenir la collection

153

morbide d'un vieux pirate à demi fou ? C'est Urbain qui brise le silence devenu embarrassant.

— Outrage-t-il ton autorité, ce départ discret de Feulion ?

— Je crois qu'on peut comprendre qu'il omette de faire démonstration de gratitude en quittant le port.

— Mais ?

Cape-Rouge pousse un bruyant soupir avant de répondre, mâchoires scellées :

— Mais avec lui, je redoute toujours quelque fourberie dont il est passé maître, et j'avoue que ce départ précipité n'est point sans m'alarmer un brin.

10

Le *capitán* Luis Melitón de Navascués lève le nez, étire les lèvres dans une moue, tourne le menton à dextre, à senestre, cherchant dans l'étroit miroir au reflet mat quelque poil rebelle qui aurait échappé à la lame du barbier. La surface de peau libérée sur sa gorge et sur ses joues révèle des rides nouvelles qu'il n'avait pas, des années plus tôt, quand le poil a commencé à couvrir son visage. Il est surpris de les trouver là, sillons, cavités et chairs flasques. Heureusement, tout n'est pas rasé ; il a gardé un bouc, bien fourni, mais qui accentue le creux des joues.

« Ça ne lui plairait pas, songe-t-il. J'ai l'air trop vieux. »

Et elle, elle est si jeune, *doña* Isabella. La fille d'un ami, le financeur de son expédition, dans l'Estrémadure, en Espagne.

Quinze ans, maintenant. Belle comme une aube, au printemps, quand fleurissent les coquelicots. Il en rêve chaque nuit. Il rêve du retour en Castille, lorsqu'il sera aussi riche que Cortés et Pizarro, les conquérants des empires aztèque et inca, aussi respecté qu'eux, anobli par son roi, adulé par les siens. Il rêve de cette jeune fille, qui oubliera son âge, ses rides, ses cheveux clairsemés et sa barbe grise pour se pendre à son bras, le suivre en la cathédrale de Séville, et accepter de devenir sa femme, de lui donner cette descendance que sa première épouse n'a onques su engendrer.

Les sourcils qu'il a également fait tailler donnent un résultat plus heureux. Bien qu'il paraisse aussi sévère — détail important pour garder l'autorité sur ses hommes —, son aspect en ressort plus soigné, plus propre… plus jeune. Jeune, oui, voilà.

« Je vais laisser repousser la barbe sur mes joues, se surprend-il à réfléchir. Et plutôt, je taillerai… »

— ¡ Capitán !

Il ne sursaute pas, car il a depuis longtemps appris à rester impassible, mais il n'a pas ouï son page, Felipe, pénétrer ses quartiers en relevant le rideau qui masque sa chambre des pièces attenantes.

Le jeune homme l'a surpris tandis que, le barbier parti, il se mire encore sur la surface mal étamée du miroir. Le temps d'un clignement des paupières, l'expression du *capitán* Luis Melitón de Navascués passe d'amoureux transi à celui de maître sans pitié d'une compagnie de soldats espagnols, pourfendeurs d'Indiens et pilleurs de richesses.

— Que se passe-t-il ?

Felipe hésite une seconde, le temps de s'étonner des joues devenues glabres de son supérieur, de la sévérité accrue des traits. Il répond enfin :

— Un navire, Excellence. Il vient de se présenter au mouillage. Il bat pavillon français.

De Navascués pince sa barbe sous le menton comme s'il écrasait là un pou — ce qui expliquerait l'intérêt qu'il portait au miroir — et entreprend de boutonner son pourpoint.

— Pavillon français ? Que cherche-t-il ?

— Permission de mouiller dans notre rade, Excellence. Son…

— *¡ Madre de Dios !* Ils ont tous les culots, ces *luteranos* ! Qu'ils aillent se faire voir ! Si l'équipage crève de soif et perd ses dents par mal de terre, ce sera autant de parpaillots de moins sur les mers du Pérou.

— Son capitaine a envoyé une requête expresse pour vous rencontrer, Excellence.

— Dis au *teniente* Joaquín Rato de lui répondre par un coup de semonce et s'il persiste à mouiller en face de la rade, qu'il le canonne! On est en guerre, non? Si ça se trouve, c'est peut-être un pirate.

— *C'est* un pirate, Excellence.

De Navascués regarde son page comme s'il l'apercevait pour la première fois. Il se met à respirer ainsi que celui qui manque de souffle.

— Cape-Rouge? demande-t-il.

— Non, Excellence. Le navire est le *Géhennes*, le brigantin du capitaine Feulion. C'est lui qui demande une trêve pour s'entretenir personnellement avec vous.

Ça lui arrive souvent. Cape-Rouge s'éveille, le crâne moite, les aines, les aisselles, les plis de son menton double dégoulinant de sueur. Il affiche alors, comme maintenant, cette mine ahurie de celui qui s'extirpe d'un cauchemar et cherche, dans les recoins obscurs de sa chambre, les restes des fantômes qui peuplaient ses songes. Cadavres d'Espagnols qui s'ébrouent soudain et se relèvent au milieu des corbeaux qui les becquettent ; corps sans tête qui tâtonnent à l'aveugle tandis que Cloche-Pied, au loin, ricane, un sac de crânes jeté sur son épaule.

Cape-Rouge, assis dans son lit, se rassure de longues secondes, immobile, à écouter la respiration régulière de l'Amériquaine qui dort à son côté. La jardinière. Quel est son nom, déjà ?

Il repousse la mince couverture de coton trempée de sueur et place ses pieds nus sur le tapis aux motifs barbaresques, pillé d'un navire maltais qui l'avait lui-même pillé d'une caraque maure. Par la fenêtre sans vitre, l'air chaud et humide qui descend des collines en attouchant la feuillaison des pentes, embaume la chambre des parfums sucrés des hibiscus et des jacarandas. On entend le cri plaintif d'un anolis* en mal d'insectes.

Le maître de Lilith se lève et marche à pas lents vers le boudoir ; la Naturelle émet un ronflement léger pour toute interrogation. Il chausse les sandales de peau dans lesquelles il se trouve si à l'aise et sort de la maison. Vêtu seulement de son haut-de-chausses, il cherche à capter sur son corps mouillé la plus infime fraîcheur que la nuit distille.

Un moment, il observe Baie du Diable endormie, la silhouette des habitations blotties sur tout le pourtour de l'anse. Il se fait l'illusion du papa qui vient s'assurer du sommeil de son enfant. L'image l'amuse… puis l'effraie. La responsabilité que suppose l'analogie apporte soudain un fardeau qui lui semble insoutenable.

« Quel était ce personnage de mythologie, déjà ? » se questionne-t-il. « Allons, Armand, rappelle-toi. Il y avait ce vieux marin qui savait lire et qui aimait raconter des histoires fabuleuses, le soir, sur le grand pont, quand les matelots désœuvrés se languissaient de la terre… Atlas ! Voilà ! Le géant Atlas qui portait le poids du monde sur ses épaules. »

Il ressent le même faix, la même charge. Si le pouvoir le grise, il le mine aussi. Il y trouve un lot de satisfactions, mais un lot plus lourd encore de peines. D'erreurs. De souvenirs impossibles à purger. Lourd. Trop lourd.

Enfin, parfois. Comme cette nuit.

Cape-Rouge, sans s'en rendre compte, a traversé le jardin et s'engage sur le sentier qui mène à la corne de Belzébuth, un étroit promontoire qui domine la baie. La poussière de la piste brille comme une farine sale sous le croissant de lune. De là-haut, il domine mieux son univers ; son regard porte jusqu'à quinze, vingt lieues. La mer s'arque à senestre comme à dextre, attestant ce que les anciens marins ont toujours su, mais que les autorités refusaient d'admettre : la Terre est ronde. Entendez-vous, Messeigneurs ? Dieu a modelé la Terre comme une boule, non comme cette crêpe aux rebords abrupts que, pendant des siècles, vous vous êtes obstinés à figurer.

« Comment les plus bêtes des hommes se sont-ils retrouvés représentants de Dieu sur Terre ? »

Cape-Rouge croirait pouvoir toucher du bout du pied en contrebas le sommet des mâts de l'*Ouragan* qui se berce, tranquille, au mouillage. Autour du galion, il devine plus qu'il ne distingue les chébecs et les caravelles des pirates à qui il accorde la protection de Lilith, les barques de pêcheurs, les esquifs des marchands.

Trouvant une assise confortable au pied d'un tronc de sabal, il s'assoit pour attendre le lever du soleil. Il se rendort avant les premiers feux mauves de l'aurore.

Le point noir au centre de l'œil fixé sur Feulion est si minuscule qu'on dirait seulement un trou d'aiguille au milieu d'un bouton d'argent. Le pirate n'en mène pas large, recouvert seulement de son caleçon, muscles maigres et cicatrices exposés aux officiers espagnols. Il est suspendu à une poutre du plafond par ses poignets rattachés dans le dos. Si, bientôt, on ne le délie pas, ses épaules vont se disloquer.

— On dirait que le forban a dernièrement goûté du fouet, ironise un officier devant les marques de lacérations qui strient les omoplates du prisonnier. Un petit malentendu entre maroufles, sans doute.

Tous les Espagnols éclatent de rire, sauf le *capitán* Luis Melitón de Navascués, qui garde son regard polaire sur Feulion. Après de longues secondes menaçantes, il l'abandonne enfin pour parcourir la feuille de parchemin qu'il tient entre trois doigts de sa main senestre. Sa dextre bat l'air au rythme de ses paroles, et il serait difficile de dire si cette gestuelle théâtrale s'adresse plus à son prisonnier qu'à ses soldats.

— Pillage du *San-Bernardino*, déclame-t-il de sa voix de corbeau. Pillage du *Valiante*, du *Isadora* et du *Galante*. Arraisonnement de baleiniers espagnols à quatorze reprises. Massacre des équipages. Attaques des ports de *Puerto Cadix* et du comptoir de *Barbaresco*. Voilà bien des raisons de se faire condamner.

Il se place face à Feulion, leurs deux nez se touchant presque. Il demande :

— Tu entends le castillan, drôle ? Pour bien saisir la mort atroce que je vais t'annoncer et sur laquelle tu méditeras avant de monter au gibet.

— *Un poco, Excelencia. Solamente, un poco.* Seulement un peu.

— Ça suffira. Écoute ce que...

— Mais, Votre Grâce, si je me suis présenté à vous ainsi, de plein gré, c'était par repentance. Je n'en puis plus de la vie de pirate, de sillonner les mers en compagnie de ces hérétiques calvinistes, moi qui ne vis que par l'indulgence de notre bonne Marie, la Sainte Mère de Notre Seigneur Jésus-Christ. Je me repens, Excellence. Je suis un bon catholique, un fervent de l'autorité de Rome, un fidèle pratiquant de notre foi, si bien défendue par Charles Quint, le bon roi d'Espagne, empereur du Saint-Empire germanique, héritier de…

— Mais tais-toi donc! ¡*Madre de Dios!* A-t-on déjà ouï plus de jactance?

Les officiers ne peuvent s'empêcher de glousser, un regard méprisant en direction de Feulion.

— Crois-tu donc, reprend de Navascués, que je pourrais épargner ta misérable vie à la prétention seule que tu te repentirais, et quand je sais ton âme si noire qu'un charbonnier même n'en voudrait pas de peur de salir ses sabots? Nous te romprons les os à coups de massue puis te laisserons agoniser pendu à l'entrée du fort, becqueté par les corbeaux, tes pieds à portée des crocs de nos mâtins.

— Votre Grâce! Je vous sais plein de bonté et d'indulgence. Et plus encore quand vous connaîtrez le troc admirable que je vous propose.

— Un troc? répète de Navascués, que le mot seul semble enflammer de courroux. Tu me prends donc pour un vulgaire marchand mauresque, pirate?

— Que nenni! J'ai trop de respect pour Votre Grâce. J'ai seulement une information qui saurait vous réjouir et j'aimerais vous la transmettre en échange, à la fois, de ma liberté et d'une amnistie.

Il hésite avant de poursuivre :

— Et d'une part aussi de ce trésor que vous tirez de la forêt et qui...

— Par exemple ! s'exclame un *teniente*. Le coquin ne manque pas d'audace.

— Qu'on tue ce drôle avant qu'il colporte plus avant ces idées de notre découverte, lance un *alférez*.

— ¡ *Señores* ! Nobles d'Espagne, je vous en conjure, écoutez-moi. Je peux vous indiquer où trouver le pirate le plus honni des mers du Pérou.

Les rires s'évanouissent, un ange passe, silence étrange, marqué seulement par les bruits étouffés venus de l'extérieur, par la respiration saccadée de deux ou trois hommes. Les pupilles de de Navascués s'illuminent d'une lumière surnaturelle quand il vient river son regard dans celui de Feulion.

— Cape-Rouge ? demande-t-il. Tu parles de Cape-Rouge ?

— Oh ! que j'ai mal aux épaules et aux coudes. Ne pourriez-vous...

— Réponds, sinon je te fais donner des coups de bâton pour faire éclater tes articulations. Parles-tu de Cape-Rouge ?

— Oui, Excellence. Je connais son repaire. Je sais où il se terre.

De Navascués se redresse en inspirant si fort qu'on croirait ouïr le feulement d'un lion en chasse.

— Où ? demande-t-il.

— Dans un havre appelé Baie du Diable. Il s'agit d'une anse au creux d'une île secrète, en dehors des voies maritimes. S'y abritent un bourg de pêcheurs et une colonie de pillards à la solde de Cape-Rouge. On appelle cette terre : Lilith.

Le *capitán* se rend à sa table de travail, farfouille une seconde dans les papiers qui s'y trouvent puis ramène un portulan qu'il plante presque sur le nez de Feulion. Il demande :

— Sur cette carte, peux-tu indiquer l'emplacement ?

— Je peux.

— Fais-le et tu es libre.

— Non.

Le feulement revient, plus puissant, cette fois.

— Comment ça, non ?

— Excellence, ma vie est par trop insignifiante face à votre pouvoir. J'ai besoin de garantie. Certes, certes, votre parole est plus riche encore que l'or le plus fin, mais je n'ai que ma vie, Votre Grâce, et je ne peux la jouer ainsi en vous offrant tout ce qui la garantit tandis que…

— Toi! s'exclame le *capitán* en désignant l'un de ses lieutenants. Frappe-lui les bras d'un gourdin; qu'on lui désarticule les épaules. Je n'en peux plus de ses marchandages.

— Votre Grâce! Non! Je peux moi-même, à bord de mon brigantin, guider votre navire jusqu'à Lilith. En reconnaissance de quoi vous m'accorderez le loisir de repartir libre, amnistié… et un peu plus riche. C'est tout ce que je demande, Excellence. Je vous en prie.

De Navascués affiche une expression de total mépris tandis qu'il fixe la large cicatrice qui remplace le sourcil senestre chez Feulion. Il rauque:

— Je ne voudrais pas me priver du plaisir d'ouïr tes os se rompre, et tes poumons fendre par tes hurlements poussés. Crois-moi, même sans aucune promesse, je saurai te convaincre de me révéler ce que tu sais.

— Mais vous n'aurez pas trop de mon *Géhennes* pour vous seconder, Votre Grâce. Pensez que Cape-Rouge navigue sur un galion bien armé et que nombreux sont les pirates qui joindront leurs forces aux siennes. D'ailleurs, il vous faudra plus que mon brigantin et votre caravelle pour les vaincre et anéantir Baie du Diable: il vous faudra réquisitionner plusieurs vaisseaux des autres ports espagnols, bâtir une escadre...

La seconde d'hésitation de de Navascués trahit le fait que Feulion commence à faire mouche. Néanmoins, le *capitán* insiste:

— N'as-tu rien d'autre pour me convaincre d'être indulgent avec toi?

— Peut-être, Votre Grâce.

— C'est ta dernière chance.

— En plus de Cape-Rouge, l'offre que je suis venu vous soumettre vous permettra de mettre la main sur deux prisonniers qui ont eu l'heur de filer entre vos doigts. Vous devez en garder souvenir, Excellence: l'un d'eux était si sale qu'il valait à lui seul toutes les pouilleries du monde.

11

— Qu'est-ce donc? Le redoutable Cape-Rouge, endormi comme un bébé, de la bave au menton!

Le maître de Lilith sursaute, portant d'instinct une main à sa ceinture, là où de coutume il glisse un pétrinal. Il n'y trouve que la ficelle lâche de son haut-de-chausses. Le visage de l'homme qui se découpe devant lui est masqué par le contre-jour du soleil levant, mais la voix familière évite au capitaine de s'alarmer. Il grogne simplement en s'essuyant le menton avec le dessus de son poignet dextre.

— Urbain! Fieffé maraud! Tu m'as aperçu d'en bas du promontoire?

Le matelot fait un pas de côté et tend une main à son ancien compagnon de voyage. Cape-Rouge l'accepte, mais la manière agile avec laquelle il se relève démontre qu'il n'en est pas encore à l'âge de nécessiter un tel soutien.

— C'est ton Amériquaine qui m'a dit que je pourrais te surprendre ici.

— Tu entends l'arawak?

Urbain fait une moue en guise d'acquiescement. Il frotte son crâne d'une main énergique, n'ayant pas perdu ce nouveau tic bien que ses cheveux aient déjà bien repoussé. Sa barbe aussi a repris de la densité et masque maintenant les cratères de son visage grêlé.

Cape-Rouge ronchonne tandis qu'il s'engage sur la piste qui descend:

— Il va falloir que j'avise cette drôlesse de ne point permettre au premier venu de me surprendre de la sorte.

— Ha, ha! Elle aura été séduite par ma façon de parler sa langue. Il m'a quand même fallu déployer tous mes trésors de charme. Et avec la tête que j'ai, ce n'était pas gagné d'avance.

— Pourquoi te donner tout ce mal?

La pente s'est accentuée et le maître de Lilith va d'un si bon pas qu'Urbain ne peut soutenir le rythme sans souffler comme un buffle. Il agrippe donc son compagnon par le bras pour l'arrêter:

— Peste! Armand, écoute-moi un peu.

Cape-Rouge s'immobilise non sans jeter un regard noir sur la main refermée sur son biceps. Urbain la retire incontinent en plaidant :

— Armand, chaque jour qui passe rajoute du mortier aux murs de la redoute de Virgen-Santa-del-Mundo-Nuevo. Elle deviendra bientôt imprenable.

— Et qui te dit que j'ai envie de la prendre ?

— Et pourquoi pas ? Elle déborde de butin, Armand ! D'or et de pierreries ! Tu es un pirate ou non ?

— Je suis un pirate, pas un fou. Je n'ai qu'un galion de cent tonneaux armé de vingt-quatre canons. Trente, au mieux. On peut se saisir d'un navire ou deux qui s'aventurent seuls sur la mer, mais pas s'attaquer à un préside, une place forte, ses appentis regorgeraient-ils de toute la fortune du monde.

Cape-Rouge a un geste de la main en direction de l'anse qu'ils n'aperçoivent plus dans cette obliquité de la piste.

— Même si je réquisitionne les caravelles et les chébecs des marins d'eau douce qui mouillent à ce quai, nous n'aurons jamais la puissance de feu nécessaire pour prendre un bastion tenu par une compagnie de soldats espagnols aguerris.

— Eh bien, contentons-nous de les bombarder pour les occuper pendant que des hommes, débarqués plus loin sur la côte, les prendront à revers et investiront la redoute pour un combat au corps-à-corps.

— Combien sont-ils, tu crois, dans cette place, armés de canons, d'arquebuses, de couleuvrines, d'arbalètes, sans compter les sabres? Combien, tu crois?

— Je ne sais pas. Quelques centaines.

— Et tu veux qu'on surprenne quelques centaines d'hommes armés jusqu'aux yeux avec mes cinquante matelots, autant de pirates du dimanche dans leurs coquilles de noix, et une quarantaine de pêcheurs? Et même en rajoutant les bons à rien qui touillent sur le *Géhennes*, faudrait être fou!

Cape-Rouge se détourne pour reprendre la descente en direction des jardins. Urbain le rattrape en trois pas, mais n'ose pas l'arrêter cette fois en lui saisissant le bras. Il s'efforce de se maintenir à sa hauteur tout en continuant d'argumenter.

— Écoute, insiste-t-il, nous ne sommes pas aussi démunis que tu le crois en hommes ni en armes. Cet Urael que tu as pris parmi les tiens, il saurait convaincre d'autres tribus comme la sienne de se joindre à nous pour pourfendre de l'Espagnol. Les Sauvages les détestent, tu le sais.

— Armés de coutelas en silex, de sarbacanes et de zagaies ? Ils seraient décimés dès le premier assaut.

— Je connais une cache d'armes, Armand. Une centaine de fusils, au moins. Des quintaux de poudre et des plombs à profusion. C'est pendant un raid avec le *Coin Breton* de Tourtelette qu'on a saisi tout ça. On pourrait armer les Indiens, s'en faire une troupe puissante.

Cape-Rouge, parvenu à l'entrée des jardins, s'arrête comme s'il ne pouvait plus poursuivre là une discussion d'une telle gravité. Ces fleurs sont trop délicates, semble dire son expression lasse, pour des propos si sombres. Fusils, attaque, guerre, sang, mort… Poids des responsabilités, toujours.

— Armer les Indiens pour nous appuyer pendant que nous nous emparons des richesses que les Espagnols ont prises dans leur cité d'or ? Tu rêves.

— Ils n'en ont rien à faire, Armand, des richesses d'une cité qui n'appartient pas à leur tribu ! Taínos, Kalinagos, Guaranis, Kapons, Tupinambás, Margajas… Tous ces Sauvages ne rêvent que de bouter les Espagnols à la mer, et tant mieux si ça ne leur coûte qu'un trésor qui appartient à d'autres Sauvages contre qui, de toute manière, ils se battent en d'autres circonstances.

— Barbe-Rêche !

Le gros matelot dont on devine la silhouette au bout de l'allée redresse le torse, lui qui avait plié l'échine pour s'adresser à la jardinière.

— Oui, capitaine.

— Barbe-Rêche, dès ce matin, j'exige un homme en permanence à l'entrée de mes quartiers. Nuit et jour. Je n'en peux plus d'avoir à argumenter sans cesse avec les importuns de tout acabit qui me surprennent dans mes moments de détente.

Sans même gratifier Urbain d'un dernier regard, il dit :

— Avise bien tes vigiles que celui qui ne saura son devoir accomplir convenablement se fera bailler l'anguillade*.

On l'appelle Cerveau-Cuit, parfois Brouille-Tête, d'autres fois Nez-Gris, ou simplement Gris. À cause de cette façon qu'il a de boire la guildive à grandes goulées, sans même sourciller, jusqu'à s'écrouler ivre mort. Souvent, dès potron-minet*. À cause aussi du fait que, même dans ses instants de plus grande lucidité, il est au moins à moitié ivre. Comme en ce moment. À moitié ivre, donc, dans son cas, presque sobre. Car il a besoin de sa tête pour pêcher. Seul. En pleine mer. À bord d'un esquif qui, dans une autre vie, fut un youyou et auquel on a ajouté une voile à livarde et un gouvernail. Et Gris a baptisé son youyou «Gris». À quoi bon compliquer les choses?

Ce midi, Gris ne pêche pas. Ne pêche plus. Gris au fond de Gris, un bras appuyé à la barre de gouvernail, l'autre ceint par l'écoute, serre le vent de manière à bondir sur les brisants tout en maintenant l'étrave pointée droit sur Lilith. Pour se donner un meilleur appui, il a calé ses pieds cornés contre les allonges de sommet. Son rets* tissé de fils grossiers a été coupé depuis un moment déjà, car Nez-Gris n'a pas voulu se donner le temps de ramener ses prises et a préféré couper les attaches pour partir plus vite.

Les embruns le fouettent avec violence, salant plus encore son visage de galuchat*, glabre et âpre, son crâne plombé du feu des tropiques, sa nuque, sa gorge, son torse et ses membres boucanés telles les chairs sous le gril des fumoirs caribes. Sa chemise ouverte bat au vent telle une bonnette qui faseye.

Quand il se hisse sur le dernier brisant pour glisser vers l'accul où il aspire atterrir, il ramène la voile au dernier moment, quitte à rentrer trop vite, quitte à s'échouer sur la grève. L'heure n'est pas à la fantaisie.

Le youyou s'est à peine immobilisé entre une racine de palétuvier et une pointe sableuse que, déjà, Gris bondit hors de Gris pour se mettre à courir. Deux calfats affairés à étouper une allège ne manquent pas de s'étonner de le découvrir si vif, lui d'ordinaire soumis à l'indolence de l'alcool.

— Holà! Brouille-Tête! Qu'est-ce qui te prend? lance le plus jeune des deux. T'auras vu un physétère* à cornes?

— C'est la guildive qui t'embobeline, rajoute le plus vieux en se tapant sur les cuisses, les maculant d'étoupe par la même occasion.

— Que le feu Saint-Antoine vous arde! réplique le pêcheur sans même s'arrêter.

Et il file, grognant, soufflant, ainsi qu'une baleine, justement, qui crève la mer pour défier les navires. Il monte la pente menant à l'agglomération en longeant les trottoirs de rondins qui donnent accès à la grève. Sans s'arrêter aux regards étonnés des passants qui l'observent, il se dirige d'abord vers la ruelle qui conduit à la maison de Cape-Rouge quand il remarque, sur le terrain vague jouxtant le poulailler de Péteux-le-Navarrais, une bande de marins au torse nu qui se collettent : Urael, le nouvel homme de confiance du capitaine, dans une prise à bras-le-corps virile avec N'A-Qu'Un-Œil ; autour d'eux, en spectateurs intéressés et enthousiastes, on reconnaît le jeune Lucas, Barbe-Rêche, Grenouille, Poing-de-Fer, les deux anciens prisonniers de Feulion, ce croustelevé* d'Urbain qui a appris à s'épucer et son jeune compère Lionel. Au milieu d'eux, et non le moins attentif, Cape-Rouge lui-même.

— Voyez qui nous arrive là, galopant comme une vache ! lance Barbe-Rêche.

— Cerveau-Cuit ! poursuit Grenouille, en se grattant le nez avec l'indice et le moyen, ses deux doigts qui sont reliés entre eux par une membrane, défaut de naissance qui lui a valu son surnom. Qu'as-tu donc bu pour te mettre dans un état pareil ?

Sans répliquer, Nez-Gris s'arrête face à Cape-Rouge à qui, de toute évidence, il entend s'adresser.

— Capi… capitaine, dit-il, pantelant. Enfin, je… j'vous trouve.

— Sang-Diou! Mon pauvre Gris, reprends ton souffle. Ta face est si rouge qu'elle rivalise avec ma mante.

— Ah, capitaine! C'est qu' l'heure est grave.

— Il paraît presque sobre, ma foi, ironise N'A-Qu'Un-Œil en abandonnant la prise qu'il exerçait autour du cou d'Urael. Tout doux, l'Indien. La leçon de lutte est terminée.

Plié à demi, les mains sur les genoux, Nez-Gris prend trois ou quatre grandes inspirations afin de pouvoir s'exprimer d'une seule traite et non en s'escrimant à plusieurs reprises. Le temps est suffisant pour que les hommes forment un cercle autour de lui. Pointant son indice vers la mer, mais gardant une main sur un genou, il débite:

— Là, directement sous l'vent, à dix lieues au plus, j'ai vu une flotte d'au moins dix navires qui cinglent vers Lilith. Impossible qu'y nous manquent, capitaine, même si z'ignorent nous trouver sur leur route.

— Tu as vu les pavillons?

— Deux ou trois, capitaine. Z'étaient aux couleurs de Charles Quint.

N'A-Qu'Un-Œil éclate de rire. Entre deux gloussements, à ses compagnons interloqués, il déclare :

— Des marchands espagnols qui arrivent droit sur nous pour offrir leur butin. On a le diable si fort de notre côté qu'on n'a même plus à prendre la mer pour larronner.

Lucas rit en appui, imité par Barbe-Rêche et Grenouille. Poing-de-Fer qui ne saisit jamais rien, Urael qui n'entend pas encore assez le français, et les inséparables Lionel et Urbain — ce dernier toujours soucieux — ne partagent pas l'optimisme du maître d'équipage.

Ni Cape-Rouge, d'ailleurs, qui conserve une mine sévère face à Nez-Gris. Il demande :

— Ils étaient armés, tu crois, les navires ?

— J'étais trop loin, capitaine, mais m'a bien semblé aviser une rangée de sabords sur l'un d'eux.

Cape-Rouge se tourne vers ses hommes :

— Lucas et Lionel, vous êtes les plus jeunes, vous avez la meilleure vue, vous m'accompagnez à la corne de Belzébuth. Gris, va trouver Joseph. Qu'il mobilise tous les villageois aptes à manier un braquemart* ou à épauler une hacquebute*. Il faudra peut-être défendre Baie du Diable. N'A-Qu'Un-Œil, tu rapailles les marins, tous à leur poste, l'*Ouragan* paré à gagner le large.

Le bosco hésite une seconde à peine, le temps d'étrangler son rire dans sa gorge. Il n'entend mie les inquiétudes de son capitaine, mais puisqu'il a appris à ne jamais discuter un ordre de Cape-Rouge, il hoche la tête en signe d'assentiment. Incontinent, il se met à courir, Barbe-Rêche, Grenouille et Poing-de-Fer sur les talons.

Cape-Rouge se tourne ensuite vers Urbain.

— Si tu veux servir, il y a de la place pour toi dans mes équipages. Des marins qui parlent les langues amériquaines sont toujours utiles. Surtout avec un Naturel à bord.

— À défaut de mieux…

— Et je ne suis plus Armand, tu entends ? Je suis Cape-Rouge. Tu m'appelles « capitaine » comme tout le monde.

Urbain a un sourire las.

— Entendu, « capitaine ».

Cape-Rouge se tourne ensuite vers le Wayana et, comme pour mettre les dons de truchement d'Urbain à l'épreuve, ordonne en arawak :

— Urael, tu nous accompagnes. Pendant que nous montons tous les cinq à la corne de Belzébuth, Urbain t'expliquera ce qui se passe.

Suant à grosses gouttes, car le temps est particulièrement chaud et humide, les pirates parviennent au promontoire où ils se disposent en demi-cercle pour scruter l'immensité turquoise. La mer se fond dans l'azur céleste en un point imprécis, l'horizon gommé par l'humidité accablante de l'air.

— Nulle voile en vue, capitaine, dit Lucas, une main à la hauteur des sourcils pour diminuer le flamboiement du ciel.

— Je n'en vois point non plus, seconde Lionel. Cette brumasse à l'horizon affadit tout ce qu'on y pourrait déceler.

— Restez ici, tous les deux, et soyez alertes. Dès que l'un de vous repère une voile, vous m'en avisez incontinent.

— À vos ordres, capitaine.

— Allons prêter main-forte aux autres ! somme Cape-Rouge en arawak en donnant, des deux mains, une tape simultanée sur les bras d'Urbain et d'Urael. Il y a beaucoup à faire.

Le Wayana ne répond pas à l'invite et son regard reste perdu sur l'horizon. Cape-Rouge, qui a entrepris la descente du promontoire en compagnie d'Urbain, s'arrête pour insister à l'égard du Naturel.

— Il y a beaucoup à faire *et en peu de temps*.

— Il y a pire, capitaine, réplique Urael, toujours immobile.

— Comment ?

— Il y a pire qu'une dizaine de navires qui se profileraient devant Baie du Diable.

— Que peut-il y avoir de pire ?

L'Amériquain se détourne et, même sous le hâle de sa peau cuivrée, on devine une pâleur non coutumière. Il s'attaque à la pente et, au moment de passer devant Cape-Rouge, ajoute, mystérieux :

— Juracán.

12

En moins d'une heure, tout Baie du Diable est en alerte, les femmes prêtes à fuir vers le couvert des collines avec les enfants et les vieillards. Tout homme et tout garçon de plus de dix ans, aptes à manier une lame ou une arbalète, à charger les arquebuses ou à préparer les gargousses, sont dispersés, qui sur les quais, qui entre les habitations, pour résister et faire payer chèrement à quelque envahisseur que ce soit la moindre velléité d'asservir Lilith. Les trois seuls canons disponibles à terre, montés sur des affûts de fortune, sont disposés sur un remblai de sablon, les bouches orientées vers le large, menace toutefois plus dissuasive que meurtrière.

L'*Ouragan* est armé, sabords ouverts, gabiers, canonniers et charpentiers à leur poste, les pirates sur le tillac, armes à la ceinture, augurant déjà combats, canonnades, cris, flancs de bois et mâts qui se fracassent, tumulte de l'abordage, détonations, corps-à-corps, odeurs de poudre, de sueur et de sang. N'A-Qu'Un-Œil, sabre au clair au milieu des hommes, aboie, coordonne, provoque, exalte et menace les hommes, rit et grince, impatient de se mesurer à l'ennemi, imaginant l'or et les pierreries dont il s'emparera.

Et la proie ou l'agresseur attendu n'est même pas encore en vue.

— Capitaine !

Barbe-Rêche, suivi de Nez-Gris et de Cloche-Pied — qui bondit sur sa béquille avec une adresse étonnante, trop fier pour se laisser distancer —, arrive à l'entrée du quai. Cape-Rouge, au pied de l'échelle de coupée, profite des quatre secondes nécessaires avant que les hommes le rejoignent pour retirer son feutre, essuyer la sueur sur son crâne à l'aide du bras de sa chemise et cracher la feuille de *tabacu* qu'il mâchouillait.

— Capitaine, reprend Barbe-Rêche, une fois à la hauteur de Cape-Rouge, toutes les embarcations, chébecs comme allèges et you-yous, sont parées. C'est pitié qu'on ne puisse les armer toutes de canons, mais pour bourdonner autour de l'ennemi et l'étourdir, pour le distraire des manœuvres de l'*Ouragan*, ça pourra convenir.

— Il manque des pêcheurs ?

Barbe-Rêche consulte Nez-Gris du regard et c'est ce dernier qui répond :

— Pas tant, capitaine. Les batelets de Brise-Cul et du Normand. C'est tout. Ah ! Et l' canot d' Rouet.

— On va s'couper des têtes, hein, cap'taine ? se réjouit Cloche-Pied, de la salive à la commissure des lèvres. Des belles têtes espagnoles ?

— Si ce ne sont pas eux qui coupent la tienne avant, réplique Cape-Rouge.

Avant de quitter le quai, il ordonne :

— Barbe-Rêche, regagne ton poste à bord de l'*Ouragan* ; les deux autres, retrouvez vos embarcations respectives.

— À vos ordres, capitaine.

— Oui, capitaine.

— Ouais, cap'taine. Mais les têtes, quand même…

Tandis qu'il s'engage sur la venelle menant à sa maisonnette — où il compte traverser les jardins et emprunter le sentier qui donne accès à la corne de Belzébuth —, Cape-Rouge, jetant un regard machinal par-dessus son épaule pour apprécier l'animation sur le galion, remarque qu'Urael, appuyé à la herpe, scrute l'horizon et le ciel, le ciel et l'horizon, dans une attitude qui, en dépit de la distance, trahit son inquiétude. Et Cape-Rouge sait que ce ne sont pas les éventuels combats à venir qui épouvantent le Naturel.

Il s'arrête, place les mains en porte-voix et appelle :

— Ho ! Urael !

Dans la seconde, le Wayana tourne les yeux vers lui.

— Trouve Urbain et venez me rejoindre tous les deux sur la corne de Belzébuth.

Urael approuve d'un rapide signe de tête et le souverain de Lilith repart. Sitôt s'est-il attaqué à la pente menant au promontoire qu'il aperçoit Lucas arrivant au pas de course. Entraîné par son élan vers le bas, le fadrin* peine à s'arrêter sans doubler son maître.

— Holà, garçon ! s'exclame Cape-Rouge en l'empoignant par le bras pour le contenir. Il te pousse des ailes, Sang-Diou !

Sans prendre la peine de souffler, Lucas rétorque :

— Venez vite, capitaine ! Les navires sont en vue.

Ils sont onze. Onze vaisseaux de différents tonnages. Ils ont commencé par paraître ainsi que les taches bleu tendre d'une aquarelle par trop diluée, éployées sur un canevas déjà gorgé d'eau. À mesure qu'ils ont émergé de l'horizon brumassant, que se sont précisés leurs formes et leur nombre, que sont apparus les niveaux des mâtures, les émotions ont varié chez Cape-Rouge, Urael, Urbain, Lucas et Lionel : l'inquiétude, la peur, l'espoir, le soulagement, l'inquiétude de nouveau… Trois navires seulement présentent basses voiles, huniers et perroquets : une caravelle, un galion et un brigantin. Quatre caraques lourdaudes sont tirées par cinq voiles, quatre carrées sur la misaine et le grand mât, et une latine sur l'artimon. Les quatre autres bâtiments ne sont que des deux-mâts gréés d'un seul niveau de voilement.

— Je reconnais la caravelle qui mène le convoi, affirme Urbain, un tremblement retenu dans la voix, mais perceptible. C'est celle qui mouillait au quai de Virgen-Santa-del-Mundo-Nuevo. Le pavillon qui flotte à l'artimon est aux couleurs de l'Estrémadure, la province du *capitán* Luis Melitón de Navascués.

— Il s'est trouvé des mercenaires, on dirait, grince Lucas en détaillant les caraques. De vulgaires marchands qui se prennent pour des écumeurs des mers. La prime doit être alléchante pour la capture du capitaine Cape-Rouge ; son trésor, sans doute.

— Il s'est surtout entouré d'une belle racaille, rauque le maître de Lilith. Vous reconnaissez le brigantin ?

— Feulion ?

— Lui-même.

— Combien de canons en tout contre nous ? demande Lionel.

— Trop, répond Lucas.

— Je dirais moins de trente pour les trois navires de gros tonnage, estime Cape-Rouge, plus seize au total sur les caraques, plus, disons, dix, douze pour les chébecs, soit…

Il plisse les yeux pour mieux se concentrer et c'est Lucas qui complète, avec cette fierté qu'il affiche toujours pour montrer ses aptitudes en calcul :

— Soixante au plus, capitaine.

— Allons, ça n'est pas si terrible, rassure Urbain.

— S'ils se disposent en éventail, oui, conteste Cape-Rouge. Ça peut être dévastateur.

— Ils ne procéderont pas de la sorte, émet Urbain. Ils savent — parce que Feulion a dû leur donner des renseignements précis quant aux forces de Lilith — que les seuls canons propres à riposter sont sur l'*Ouragan*. Ils vont d'abord concentrer leur feu sur le galion. Une fois l'*Ouragan* par le fond*, ils se déploieront pour bombarder Baie du Diable.

— Possible, soupire Cape-Rouge qui réprime un frisson à la pensée de l'*Ouragan*, coque éventrée, en train de se remplir d'eau.

Lucas précise, avec plus de fierté que de peur dans la voix :

— Ils savent que, si l'*Ouragan* n'a pas d'abord été coulé, nous pouvons nous faufiler entre leurs lignes et disparaître… après en avoir canonné deux ou trois au passage.

Cape-Rouge s'étonne de ressentir de la colère devant la perspective énoncée par son jeune second. Fuir en désertant Baie du Diable ? En cédant son trésor ? En abandonnant l'île et ses gens aux mains de de Navascués et de ce cocher de fiacre de Feulion ? Jamais !

Sang-Diou ! Pourquoi ressent-il cette étrange et fâcheuse responsabilité envers cette mauvaise colonie de pêcheurs bretteurs ? D'où lui vient cette singulière sollicitude ? Pourquoi éprouve-t-il plus de souci à la perspective de perdre ses gens que son trésor ?

Est-ce la crainte, une fois Lilith détruite, de ne plus retrouver autour de lui une cour assidue de courtisans qui le flagornent ? Est-il devenu si imbu de sa personne ?

Machinalement, il tourne les yeux vers Urael pour constater que, incapable de suivre la conversation en français, le Naturel s'en est désintéressé pour regarder plus loin vers le levant, au-delà des liserés d'écume tracés par les navires. Cape-Rouge l'interpelle en arawak.

— Juracán ?

Le Wayana, sans regarder son capitaine, décrit un arc de cercle avec la main pour désigner la nuée gris bleu qui compose l'horizon. D'une voix blanche, il dit :

— Juracán, oui. Guatauba appelle son démon.

— Mais de quoi parlez-vous ? demande Urbain en arawak.

— Juracán, le démon aux ordres du puissant dieu Guatauba, répond Urael.

— Je ne crois pas plus aux démons des Indiens qu'à l'enfer des curés.

— Oh si, tu y crois, affirme Cape-Rouge. Tu l'as déjà rencontré assurément. Penses-y, Urbain : Juracán. C'est le nom de mon galion : *Ouragan*.

La moue mêlée d'incrédulité et de mépris qui dessinait un pli détestable sur la bouche du marin de Saint-Malo s'évanouit. Une pâleur soudaine brosse ses lèvres tandis qu'il tourne son regard sur la mer, au-delà de la menace des navires qui approchent.

— Je ne vois rien, s'entête-t-il. Comment peut-on redouter dans cette simple brumasse un coup de vent dévastateur?

Cape-Rouge lève le menton, épaules redressées, comme si cela lui permettait de voir plus loin encore, par-dessus la nuée gris bleu. Il donne l'impression de chercher les mots qui ne trahiront pas sa peur, mais en fait, il hésite simplement à se convaincre de lever un pan de son passé, de confier un souvenir. Le maître de Lilith a toujours peur de dégager des angles de sa personnalité qui témoigneraient d'une faiblesse, révéleraient un travers enfoui, une fragilité, lesquels serviraient ses ennemis. Quelque peu rassuré de n'en point trouver, il dit:

— J'ai connu un garçon[3], jadis, qui avait cette même faculté de ressentir à l'avance les débordements des régimes de brise. Je ne parle pas ici de vulgaires hourvaris. Je parle

---

3. Voir le tome 1, *Pirates – L'Île de la Licorne.*

de vraies tempêtes qui démâtent et coulent les navires. Qui jettent les forêts au sol et redessinent les lignes des rivages... Ce garçon lisait cela, un jour à l'avance, dans les turquoises de la mer, les teintes de l'horizon, dans la musique de ses vagues, le cri des poules d'eau et l'agitation des marsouins. Je ne sais comment il s'y prenait, mais il prévoyait ces choses.

— C'est un don, précise Urael qui a accompagné chaque affirmation de Cape-Rouge d'un mouvement de tête approbateur. On sait que ça arrivera, c'est tout. Et je l'affirme : ce soir, cette nuit au plus tard, cette île connaîtra toute la fureur et la brutalité du démon à la solde de Guatauba. La fureur de Juracán.

13

El capitán Luis Melitón de Navascués n'aime pas la mer. Il la conçoit comme un mal nécessaire pour partir à la conquête des terres et diffuser la foi et la civilisation chrétiennes en dehors de l'empire catholique. Il s'accommode donc de ces plaines liquides aux vallons mouvants, de ces horizons tristes à mourir dont les bleus et la lumière finissent par lasser ou, lorsqu'ils changent, effraient par les violences qu'ils attisent. De Navascués craint aussi, mais sans onques le dire, les bêtes mystérieuses qu'abrite le sein des océans, la fourberie de leurs attaques, du moins de ce qu'on en raconte, car lui n'a jamais rencontré ces serpents et calmars géants qui alimentent, les soirs sur le bois des ponts, les récits des marins.

Ce que le *capitán* n'avouera jamais non plus, c'est ce mal de mer qui le prend chaque fois que le vent se présente de travers, ce roulis maudit qui s'ensuit et l'oblige à dégorger ce qui lui semble l'entièreté de ce qu'il a mangé depuis sa naissance. Il se terre alors dans sa cabine, seul, loin du regard de ses hommes, loin des marins, ces graines de pirates, mièvres et moins valeureux que lui, moins pieux surtout, mais qui pourtant supportent ces mouvements atroces et se railleraient bien de le voir si éprouvé.

Pour l'instant, debout sur le château de poupe de la caravelle, une main sur le pommeau de sa rapière, l'autre sur la filière, il ne pense pas à la mer. Il concentre plutôt ses pensées sur cette île qui se profile devant sa flotte, une île semblable aux milliers d'autres qu'on croise dans les mers du Pérou et qui, comme des milliers d'autres aussi, n'apparaît encore sur aucun portulan.

« Cape-Rouge ! Cape-Rouge, enfin ! » se dit en lui-même *el capitán*, un sourire sinistre mal retenu à la commissure des lèvres. « Ce gueux de mer, ce pirate, ce *luteranos*, cet hérétique qui sème l'effroi sur toutes les nefs, dans tous les ports des Indes occidentales : je le tiendrai bientôt entre mes mains. »

Avec les mercenaires auxquels il a lié ses troupes le temps de cet affrontement, il sait pouvoir débarrasser les mers du Pérou de sa pire menace et venger les pertes de ses derniers galions partis pour l'Espagne. Par la même occasion, il détruira ce havre grouillant de la racaille qui harcèle les navires et les comptoirs du Nouveau Monde.

Du coin de l'œil, de Navascués aperçoit le capitaine Feulion, ce pirate reconverti qui, du pont de son brigantin, lui désigne l'île avec force mouvements des bras, trépignant d'exubérance, les lèvres animées de cette jactance qui le caractérise, mais que la distance et la force du vent — merci, mon Dieu! — rendent impossible à ouïr. De Navascués fait semblant de ne pas le voir et, dans la partie de son esprit qu'il réserve aux projets à venir, note qu'il ne lui faudra pas manquer de trouver, au cours des combats contre Cape-Rouge, une action, une décision malheureuse de ce Feulion, qui non seulement justifiera de ne pas tenir la promesse engagée envers lui, mais servira de prétexte pour le faire monter au gibet.

— Il y a des canons, Excellence.

Sans se tourner vers le *teniente* à ses côtés, le *capitán* demande:

— Combien?

— Trois. Mis en batterie là… vous voyez? Et là… et là.

— Maintenez les navires hors de portée. Longez la baie par le travers jusqu'au galion.

C'est lui qui nous intéresse. Prenez seulement garde de ne pas faire côte*.

— Bien, Excellence.

Drissée* déployée pour annoncer les ordres, la flotte change lentement d'amure, caravelles et brigantins carguant les grandes voiles, manœuvrant seulement aux huniers et aux perroquets. Les navires plus petits suivent la ligne imaginaire tracée par le *Géhennes* qui ouvre la marche en s'efforçant de se maintenir loin des canons à terre. À la queue leu leu, ils fendent les liserés d'écume du bâtiment qui précède comme autant d'aiguilles le long du même ravaudage.

— Un drapeau blanc, Votre Grâce.

— Où ça?

Le *teniente* désigne de son indice un youyou qu'on vient de mettre à l'eau. Debout à l'étrave, un homme agite une demi-aune de coton blanc attachée à la hampe d'une pertuisane. Deux autres hommes manient les rames.

— C'est Cape-Rouge, vous croyez? Ils amènent leurs couleurs?

— Certainement pas.

Un éclair de haine s'allume de manière plus violente dans le regard de de Navascués.

— Préparez-vous à les accueillir à bord, ordonne-t-il, les dents si serrées que des bulles se forment sur ses gencives.

— Ils se déploient.

L'observation est venue de Lionel qui, en compagnie de Lucas, a quitté le promontoire de la corne de Belzébuth pour rejoindre les hommes s'affairant sur le quai. À la hauteur où devrait paraître la ligne d'horizon s'il n'y avait cette brumasse, la silhouette sombre des vaisseaux s'étale avec une lenteur qui s'harmonise à la lourdeur du temps. Comme Urbain l'a supposé en premier, les navires ignorent les canons à terre pour se disposer de manière à frapper l'*Ouragan*.

— Si on ne tente pas une sortie, affirme le Malouin, ils vont couler le galion alors que celui-ci n'est même pas en position pour riposter.

— Il faut gagner du temps, rétorque Cape-Rouge après avoir guigné vers Urael puis vers la boule blanche du soleil qui baigne dans le ciel détrempé de moiteur. Le temps est notre seul allié dans cet affrontement inégal.

— Dans une demi-heure, tout au plus, ils seront en position, prêts à canonner.

— Capitaine! Morbleu! Vous montez?

Penché au bastingage, N'A-Qu'Un-Œil s'impatiente, empressé de prendre la mer, d'engager les combats, fussent-ils à un homme contre cent, plutôt que d'endurer cette attente, consumé de doutes.

— Envoyons des émissaires.

Toutes les têtes des hommes sur le quai se tournent vers Cape-Rouge. Même N'A-Qu'Un-Œil qui, du haut du galion, a ouï lève les bras dans un geste défait pour protester:

— Un émissaire? À de Navascués? Mais c'est peine perdue, capitaine! Rentrons-leur dans le corps plutôt, étrave pointée, toutes les voiles larguées, canons fumants.

— Non, s'irrite Cape-Rouge qui n'aime pas voir ses ordres contestés, surtout devant autant de regards fixés sur lui. Le temps est la seule chance que nous ayons de nous tirer des griffes des Espagnols.

«Avant de mourir sous le souffle de Juracán, poursuit-il pour lui-même.»

— Qui désignez-vous, capitaine? demande Barbe-Rêche.

— Toi et Gris. Vous accompagnerez Lucas. Lucas, où est-il? Ah. Viens, là. Tu seras mon ambassadeur. Tu prendras langue avec l'ennemi, tu es celui qui entend le mieux le castillan. Prends un drapeau blanc.

— On a un drapeau blanc, capitaine? Un drapeau royal?

— Fabrique-t'en un. Tu vas négocier.

— Je négocie quoi?

— N'importe quoi. Ce qu'il faut, c'est retarder cette ordure d'aventurier espagnol, le temps que le vent fraîchisse davantage. Propose-lui ce qui te paraîtra approprié; de toute façon, nous ne respecterons aucun des accords auxquels tu t'engageras.

— Et nous? grogne N'A-Qu'Un-Œil. Qu'est-ce qu'on fait?

D'un mouvement agacé de la main, Cape-Rouge désigne chacun des dix ou douze hommes qui l'entourent sur le quai. Il commande:

— Vous tous, attelez allèges et youyous à l'*Ouragan*. Dès que j'en donne l'ordre, il faut être prêts à tirer le galion à l'abri.

Devant les mines incrédules qui l'observent en silence, le maître de Lilith se sent obligé de préciser.

— On remonte le navire par la rivière jusqu'au lac Maigre, loin des canons espagnols. On ne prend pas la mer.

Au sommet de l'échelle de coupée, la dizaine de bouches d'arquebuses fixent sur Lucas et ses deux rameurs des yeux noirs prêts à cracher leur pupille de fer. Le secrétaire et truchement de Cape-Rouge maintient à bout de bras la pertuisane dotée de son drapeau blanc improvisé comme pour mieux insister sur ses intentions de diplomate et non de combattant. Derrière lui, accrochés à leur rame en regrettant que ce ne fût point un sabre, Barbe-Rêche et Nez-Gris détaillent le nombre de marins et de soldats espagnols, la qualité de leurs armes, de leurs armures, la quantité de gueules de canon qui émergent des sabords… À n'en pas douter, la bataille sera rude.

— Nous désirons parler à Son Excellence *el capitán* Luis Melitón de Navascués, lance Lucas de son meilleur espagnol, le bout de la lame de la pertuisane appuyé contre le bois du youyou afin de permettre au tissu blanc de flotter plus librement à son côté.

Un *alférez* du même âge que le jeune pirate se penche au bastingage entre deux arquebuses braquées par ses hommes. Il ordonne :

— Montez tous les trois.

Lucas sent un frisson glacial caresser sa nuque.

— Même mes rameurs, Excellence ?

— Et sans armes.

Présumant que les armes en question — dont ils ne sont pas pourvus, de toute façon — n'incluent pas sa pertuisane, Lucas, histoire d'affirmer sans discontinuité le caractère pacifique de ses intentions, la conserve coincée sous son bras tandis qu'il s'agrippe aux tire-veilles de l'échelle de coupée. Un soldat s'empresse de la saisir lorsqu'il enjambe le garde-corps. Une fois les trois pirates sur le tillac, ils subissent une fouille virile effectuée par des mains brusques, sous la menace constante des arquebuses et des crocs de trois mâtins qu'on retient avec peine. Puis, un *teniente* leur intime l'ordre de le suivre d'un simple signe de tête.

Ils n'ont pas long à marcher. À peine ont-ils atteint le pied de l'escalier du château de poupe que la silhouette hérissée, droite, altière et superbe du *capitán* de Navascués apparaît sur la dunette. Les pirates ne l'ont onques rencontré, mais ils savent d'instinct, par cette autorité naturelle qui sourd de lui, être en présence du redoutable commandant de Virgen-Santa-del-Mundo-Nuevo. Ils en ont confirmation lorsque, rempli de sa toute-puissance, l'homme, d'un simple clignement de paupière en guise de sommation, ordonne à son lieutenant de ne pas laisser monter les émissaires et de les maintenir sur le pont.

Lucas s'apprête à engager les négociations, mais l'expression froide du commandant espagnol le fige. Il reste là, lèvres entrouvertes, nuque glacée, à détailler les traits cruels de celui qui s'est proclamé le pire ennemi du capitaine Cape-Rouge.

Melitón de Navascués, suant sous son morion et son plastron brûlants, sa voix rivalisant de raucité avec les poulies qui crissent et les gréements qui grincent, demande, en fixant Lucas de ses yeux gris vernissés de haine :

— Vous venez offrir la reddition de Cape-Rouge ?

La phrase, pourtant prononcée dans un espagnol clair, à l'accent compréhensible, tourne et retourne dans la tête de Lucas, insaisissable. Ce n'est qu'après un troisième, puis un quatrième effort, lorsqu'il parvient à faire abstraction de la haine fixée sur lui, qu'elle prend son sens avec une construction logique, avec des mots qu'il peut traduire.

En guise de réponse, il vient à bout de balbutier :

— Pas... pas la reddition, Votre Grâce. Une trêve. Une entente...

— Ce drapeau, si je comprends bien, l'interrompt de Navascués, c'est une offre de marchandage, pas une capitulation.

— Voilà, Votre Grâce. Nous aimerions...

— Voici ma réponse, coupe le *capitán*, une fois de plus, en effectuant un geste vague de la main à l'égard de ses hommes ; un geste qui ressemble autant à un ordre qu'à un mouvement désinvolte.

Un violent coup de crosse d'arquebuse envoie le rude Barbe-Rêche au sol, ce qui permet à cinq hommes de l'y maintenir. Trois autres soldats immobilisent Nez-Gris, qui n'oppose aucune résistance, alors que Lucas, qui amorçait un élan pour sauter par-dessus bord, est rapidement arrêté par les épées dressées devant lui. Les mâtins aboient si fort qu'on n'entend pas les appels au calme de leurs maîtres. Il leur faut tirer sur la laisse jusqu'à l'étranglement pour les apaiser.

De Navascués, d'un pas lent, calculé, descend l'escalier de la dunette, lance un ordre bref à son *teniente* et attend sur le pont, le regard au loin comme s'il était étranger à l'agitation, aux imprécations et aux bousculades autour de lui. Lorsque ses trois prisonniers, à hauteur d'homme, sont liés et suspendus par les poignets à un câble qu'on retient au somment de la grande vergue, le *capitán* semble enfin se rappeler leur présence.

— Je n'ai guère de latitude à offrir au capitaine Cape-Rouge, rauque-t-il en s'emparant de la hampe du drapeau blanc que retenait un soldat. À son offre de trêve, vous apporterez la réponse suivante.

De Navascués retourne le drapeau de manière à dresser la pertuisane vers le haut et s'approche de Lucas.

— Ex... Excellence... je...

— Ça te plaira, garçon. Non seulement apporteras-tu le message toi-même à Cape-Rouge, mais... *tu* seras le message.

Dans un mouvement vif et précis, le *capitán* glisse la lance sous le jeune homme et insère la pointe de la lame entre ses jambes, appuyée contre son fondement, brisant le tissu de sa culotte. Lucas, par réflexe, s'efforce d'agiter les jambes, mais elles sont solidement retenues par deux soldats. Son effort ne lui permet que d'arquer un peu le dos, accroché à la corde qui retient ses poignets. Entre ses fesses, il sent la pointe acérée piquer sa chair, à la limite de transpercer son anus. Un peu de sang coule sur l'intérieur de ses cuisses.

— Excellence... je vous en prie... je...

Avec une expression mâtinée d'autant de plaisir que de haine, de Navascués place les mains sur les épaules de Lucas et, secondé des soldats qui halent sur les jambes, appuie de tout son poids. Au même instant, les marins qui retiennent le câble au sommet de la vergue donnent suffisamment de jeu pour que le prisonnier s'enfonce sur la lame de la pertuisane. Lucas a conscience non pas d'une douleur comme telle, mais d'une brûlure qui commence au fondement et remonte à l'intérieur de son ventre. Il s'en étonne d'abord, puis se surprend à trouver plus désagréable le sourire haineux à deux pouces de son nez que l'inconfort qui sourd en lui. Cela paraît durer longtemps, mais il s'agit de fractions de seconde. Il découvre incontinent qu'il ne peut plus respirer. Que ses efforts restent vains. Sa poitrine ne répond plus qu'à une sorte d'oppression à la hauteur du cœur, une crampe, semble-t-il, qui finit toutefois par le meurtrir ainsi qu'un violent coup de poing le ferait. La douleur arrive alors, abruptement, inattendue, insupportable.

La bouche de Lucas s'ouvre d'elle-même pour crier, mais sa gorge reste coite. Il s'agit seulement de la lame qui, après un dernier ahan de de Navascués, a traversé torse et gosier pour pénétrer la mâchoire inférieure et repousser le crâne vers le haut. Le sang gicle du corps du jeune matelot, par le haut et par le bas, souillant le pont de la caravelle de flux incarnats, maculant même le plastron du *capitán*. Les chiens, rendus fous par l'odeur, reprennent leurs aboiements. On les laisse boire les flots rouges qui éclaboussent le tillac.

— Voilà ma réponse à l'offre du capitaine Cape-Rouge, feule l'Espagnol en approchant les canines des yeux pourtant déjà morts de Lucas.

Dans un mouvement ample, il se tourne ensuite vers Barbe-Rêche qui peine à ne pas céder à la panique, et vers Nez-Gris qui ne s'embarrasse pas de tant de scrupules et pleure à chaudes larmes.

— Vous devez rendre grâce au diable à qui vous portez obédience, car pour retourner réponse à votre capitaine, ramener le corps de votre compagnon, il me faut vous laisser la vie.

Si les sanglots de Nez-Gris s'amenuisent, ce n'est pas qu'il a traduit les paroles du *capitán*, mais qu'il a décelé un certain apaisement dans son ton. Il n'en est pas de même pour Barbe-Rêche. Lui estime que, en dépit du ton adouci, trop de haine baigne la plus petite syllabe prononcée par cet officier espagnol pour en espérer une seule once d'indulgence.

Et il sait qu'il a raison de se mettre à hurler quand il devine plutôt qu'il traduit le dernier ordre donné par le *capitán* :

— Pour ramener cette barque avec mon message à Cape-Rouge, ces pirates n'ont besoin pour ramer que de leurs bras et de leurs mains. Aussi, qu'on les déleste de leurs oreilles, leur nez et leurs lèvres, et qu'on leur ampute les jambes à la hauteur du genou !

Dans une agitation digne d'une fête, les marins espagnols font tournoyer couteaux et sabres en renvoyant plus de sang encore sur le pont. De Navascués, se sentant pris d'une mauvaise nausée, remonte sur la dunette arrière. Son malaise, toutefois, ne dépend pas de ces chairs qui tombent sur le bois du tillac; il s'agit plutôt de ce roulis du diable qui augmente avec le vent qui forcit chaque minute.

14

Cape-Rouge ignore la barque qui approche comme si la réponse de de Navascués n'avait pour lui qu'un intérêt infime. Son regard morne se perd plutôt sur les collines d'eau qui poussent l'embarcation vers la rive, sur leur sommet d'écume qu'il perçoit ainsi que des oiseaux immaculés se lovant sur les rouleaux de mer. Il perçoit des écharpes de soie fine qui se déploient, s'enroulent, s'étalent de nouveau, ou de la crème, ou de la sève, rien d'autre qui ne rappelle la vie.

Pas un message de mort.

Ce message que s'obstine à ramener un rameur sans jambes, sans nez, sans oreilles, sans lèvres, agrippé à ses avirons, avec un homme évanoui sous son banc, un autre empalé.

Il y a un cri qui réussit à percer la beuglante du vent. On le sait naître d'une gorge blanche, juvénile et frêle, on le devine sourdre d'une bouche magnifique que caressent des mèches de cheveux roux. La jeune fille crache son chagrin, quelque part, entre les habitations, à la fois loin et près du quai.

Le cri secoue Cape-Rouge ; il consent enfin à ramener les yeux sur la barque qui, poussée par les vagues généreuses, se trouve déjà près d'atterrir.

Lucas. Jeune Lucas. Il y a bien deux ans, maintenant, que le chef des pirates a pris à son bord ce matelot prometteur, intelligent et curieux. Il avait de la graine de capitaine, en lui, pour sûr, de la...

— *Ioüálouti-oüé sihuiya !*

C'est Urael, le taciturne, le silencieux, qui n'a pu retenir sa hargne. Ses poings sont crispés le long de son corps, les jointures blanches en dépit de sa peau de cuivre. «Bandit d'Espagnol !» a-t-il crié.

— Il va le payer, assure Cape-Rouge dont la voix parvient à contenir le cri qui pousse dans sa poitrine. Dussé-je affronter tous les plombs des arquebuses de Charles Quint, je planterai mon poignard dans le crâne de ce *capitán*.

Une bourrasque plus forte soulève la barque et Barbe-Rêche, épuisé, rompu de douleur, abandonne les rames pour se laisser tomber sur le corps de ses compagnons. Sous le regard des hommes qui observent du quai ou du pont de l'*Ouragan*, la vague étale sur la grève son présent macabre, le secoue sans ménagement, l'oblige à pivoter, mais sans le renverser, puis se retire, satisfaite, ainsi qu'une estafette s'en retournerait à son mandataire.

— N'A-Qu'Un-Œil!

Cape-Rouge a appelé son second avec les mains en porte-voix de manière à couvrir le vent. Ce n'est pourtant pas qu'ils soient si éloignés l'un et l'autre du quai au pont.

— Paré à remplir de fer le corps de ces papalins, capitaine!

— Pas question. Tu fais ferler les voiles, tu manœuvres au beaupré et tu laisses le galion se faire touer à l'abri par les barques.

— Vous ne changez pas d'avis? Malgré Lucas et Barbe-Rêche et … ?

— Non, pas question de les affronter avec l'*Ouragan*; c'est du suicide. On ne peut s'opposer à onze navires, encore moins avec ce vent qui nous empêcherait de manœuvrer à notre guise. On les attend à terre.

Grognant davantage de dépit que de résistance, N'A-Qu'Un-Œil disparaît du bastingage pour distribuer ses ordres aux matelots. Sur le quai, Cape-Rouge coordonne les pêcheurs qui terminent d'attacher les câbles reliant leurs barques au galion. Il saute ensuite sur l'embarcation de tête afin de mener lui-même son précieux vaisseau dans l'étroit passage qui perce l'intérieur de l'île, en direction d'un lac étréci mais profond qui servira d'abri.

La marée peut monter, Juracán peut venir, les Espagnols aussi, l'*Ouragan* se retire là où il souffrira le moins.

L'officier Joaquín Rato, *teniente* de Sa Majesté catholique, embarqué pour le Nouveau Monde dans le noble but de s'enrichir vitement aux côtés du respecté *capitán* Luis Melitón de Navascués, lève le nez au-delà du mât de perroquet et sonde les rouleaux noirs contre lesquels claquent les couleurs de l'Estrémadure et de la Castille. Se rattrapant à la filière après un roulis plus fort, il abrège ses instructions aux canonniers et retourne incontinent au château de poupe où la silhouette sombre et filiforme de son commandant se profile. Il fait semblant de ne pas remarquer la pâleur inhabituelle de son visage et annonce :

— Un sacré grain se prépare, *capitán*.

— Quelle importance ? réplique de Navascués sans se retourner.

— Il sera difficile d'aligner les canons vers leurs cibles.

— Je veux qu'on enterre cette baie, ce village, sous une montagne de fer et de plomb. Qu'importe donc que les boulets manquent le mât ou le pont visé s'il va s'échouer ensuite dans le mur de l'une de ces maisons de parpaillots !

— En ce cas, les hommes sont parés, *capitán*.

De Navascués se passe une main vigoureuse sur le visage pour chasser son malaise ; par pudeur, Joaquín se détourne vers le galion. Soudain, il s'exclame :

— Par la Vierge Marie, *capitán* ! Voyez ! Ils tirent le galion de son mouillage. On dirait qu'ils vont le mettre à l'abri.

Retenu par une main à un galhauban du mât d'artimon, de Navascués prend une longue inspiration comme si le dernier roulis s'avérait trop intense pour son déjeuner. Puis, quand le mouvement se calme, considérant qu'il peut parler sans vomir, il s'empresse d'ordonner :

— Commencez à tirer, alors ! Plus tôt on les aura bien bombardés, plus tôt on pourra quitter ces navires du diable pour aller à terre, les deux pieds sur le solide, et les achever à l'épée et au poignard.

Les deux premiers boulets tirés de la caravelle visent l'*Ouragan*. Mais ces premières bordées, ajustées au jugé, tombent à deux portées d'arbalète au moins, soulevant des gerbes d'eau vite rabattues par le vent. Le temps qu'on rajuste l'angle des canons, le galion a le loisir de contourner les arbres qui font écran. Les salves des autres bouches à feu, tant celles de la caravelle que des caraques ou du brigantin de Feulion, s'acharnent sur Baie du Diable, et Cape-Rouge reçoit comme autant de soufflets chaque coup porté qui fracasse un mur, un toit, un arbre...

C'est la guerre. Une guerre sans apitoiement ni grâce ni faveurs, une guerre comme seuls savent la mener ces fous venus du vieux monde, avec leur poudre, leur fer, leur haine et leur violence.

Quand l'*Ouragan* est ancré dans son havre temporaire, Cape-Rouge, à pied, en compagnie de N'A-Qu'Un-Œil et des hommes qui étaient à bord, rejoint l'affût de fortune de l'un des trois canons sur la grève. Il y retrouve Grenouille, Poing-de-Fer et quelques matafs qui s'acharnent sur les briquets, s'évertuant à bouter le feu à la poudre soumise aux premières gouttes d'une pluie qui prend de la violence chaque seconde. Un cagnard* tenu à bout de bras sert d'abri de fortune. Au moment où le capitaine arrive à la hauteur de ses hommes, la charge reçoit un demi-muid d'averse poussé par une bourrasque. Pourtant, contre toute attente, c'est un cri de victoire qui s'échappe de la poitrine de Grenouille.

— Visez-moi ces cochers de fiacre qui se tirent dans le pied.

Indice pointé face aux rouleaux écumants, le pirate désigne une caraque qui vient de prendre de plein fouet, à la hauteur de la ligne de flottaison, la bordée que crachait le galion derrière elle. Incapables de maintenir une stabilité minimale à cause des vents qui forcissent, les navires ont de plus en plus de difficulté à ajuster les angles de tir. Manœuvrant au beaupré ou aux huniers, ils peinent à conserver la ligne d'attaque tout en obviant à faire côte.

Les pirates, toutefois, ne se réjouissent guère davantage de la maladresse des

Espagnols. Un boulet venu du *Géhennes* — mieux armé et disposant d'un équipage plus aguerri — explose à cinq toises, projetant les hommes à terre. La bouche remplie de sel et de sable, Cape-Rouge secoue la tête, sa mante rabattue devant ses yeux. Il se relève pour découvrir ses hommes abasourdis, mais vivants, le canon renversé, les gargousses noyées d'eau.

— Ça va ? demande-t-il.

Pour toute réponse, une langue de roche éclate non loin, puis un sabal, puis un mur de soutènement, le toit d'un appentis et celui d'une maison. Un youyou s'envole aussi facilement qu'un cormoran, un tronc de palétuvier s'ouvre ainsi qu'un fruit mûr, et il semble à présent que les boulets tombent au même rythme que les gouttes de pluie. Cape-Rouge, d'ordres appuyés avec force mouvements du bras, entraîne ses hommes à sa suite, intercepte au passage les équipes d'Urbain et de Main-de-Graisse qui s'activent encore sur les deux autres canons, et commande le repli à l'intérieur de l'île.

L'orage, maintenant trop violent, opacifie le jour en créant une courtine humide entre les vaisseaux et la grève. La caraque touchée par le galion gîte déjà par tribord, ses vergues dans l'écume. Un chébec mal barré nage à culer*, incapable de reprendre le vent pour se manœuvrer. Il finit par heurter l'étrave d'une caraque et les deux nefs luttent un moment pour se dépêtrer l'une de l'autre.

En dépit de ces difficultés, les canons continuent de pilonner le littoral avec un déluge de fer qui semble ne pas se tarir.

— Ils ne pourront pas tenir! hurle Grenouille à l'oreille de son capitaine. Ce n'est pas possible. Il va falloir qu'ils mettent en panne, sinon soit ils talonnent sur le banc de sable, soit ils font côte sur les brisants!

— Ils ne peuvent pas mettre en panne, clame N'A-Qu'Un-Œil. Ils viendraient à l'appel* de l'ancre. Il faut qu'ils s'éloignent de Lilith avant qu'il ne soit trop tard.

— Ils ont la possibilité d'affourcher, corrige Cape-Rouge en tendant les deux bras devant lui pour symboliser deux câbles d'ancre qui retiennent un vaisseau de tourner sur lui-même. Ainsi parés, ils peuvent continuer à canonner sans crainte de drosser.

— Combien de temps encore vont-ils...

Le sommet d'un palétuvier qui explose interrompt Main-de-Graisse, forçant les pirates à s'éloigner davantage à l'intérieur du village, là où les maisons s'espacent, où les versants des collines s'accentuent, où les villageois se sont déjà réfugiés, tapis sous les feuilles de bananiers qui ne leur sont pourtant guère plus utiles à se protéger de la pluie que des boulets espagnols.

— Il n'est pas passé loin, celui-là, souffle N'A-Qu'Un-Œil, pas assez fort toutefois pour que ses compagnons l'entendent à travers le vacarme de l'orage.

— Combien de temps encore vont-ils bombarder? reprend Main-de-Graisse quand le capitaine et ses compagnons se sont de nouveau regroupés. S'ils pouvaient débarquer, qu'on se mesure d'homme à homme. Leur poudre doit être aussi trempée que la nôtre. Ça se décidera au sabre.

— À cinq contre un? s'inquiète Lionel.

— Ce n'est rien, cinq contre un, ricane N'A-Qu'Un-Œil. Pas vrai, capitaine? Des marins d'eau douce. On a vu pire.

— Et on va voir pire encore, rétorque Cape-Rouge.

Le maître de Lilith tourne un instant sur lui-même, cherchant du regard son apprenti wayana. En dépit du vent qui perce entre les arbres, sa mante colle à son corps, imbibée de pluie, amincissant sa silhouette au point qu'il perde le peu d'ascendant qu'impose son physique. Mais on sait que l'autorité de Cape-Rouge sur ses hommes vient moins de ses muscles que du courage dont il fait preuve, de son intelligence aussi et, surtout, de la férocité dont il fait étalage à chaque contrariété. À cause de tout cela, les hommes de Lilith sont toujours convaincus de suivre leur capitaine.

En arawak, Cape-Rouge hurle :

— Urael ! Viens là.

Prompt et silencieux comme à son habitude, l'Amériquain approche. Cape-Rouge demande :

— Nous sommes dedans, pas vrai ?

— Non, pas encore. Ceci n'est rien.

— Rien ? Juracán est très fâché, alors ?

— Pas tant, mais c'est sa nature de souffler.

— Ça va durer longtemps ?

— Toute la nuit. Au milieu, il y aura l'œil de Juracán.

— Une accalmie, c'est ça ? Il y a toujours une accalmie.

— Le monstre viendra s'assurer qu'il y a beaucoup de morts. Il aime les morts. Ensuite, il fermera son œil et recommencera.

Cape-Rouge reste de longues secondes silencieux, son regard se portant successivement sur Urael, N'A-Qu'Un-Œil, Main-de-Graisse, Urbain, Grenouille, Lionel, les autres pirates qui l'observent, le visage des femmes et des enfants, plus loin, sous le couvert des feuilles de bananiers... Mystérieux, il dit en français :

— Tous ceux qui se terrent dans leur maison, qui attendent les Espagnols derrière leurs appentis... il faut les mettre à l'abri.

— Quoi ? s'étonne N'A-Qu'Un-Œil. On n'accueille plus nos visiteurs ?

— Pas ainsi. Pas avec ces boulets qui enfoncent les toits des masures. Nous serons tous morts avant qu'ils débarquent. Et avec la tempête, on ne peut pas simplement trouver refuge dans la forêt. Il y a les grottes du versant ouest qui feront l'affaire. Que tout le monde aille s'y mettre à couvert.

— À quoi bon ? Les navires vont repartir, conteste Main-de-Graisse. Les Espagnols doivent bien voir que c'est une vraie tourmente, pas juste un grain.

— Non. Ils ne nous lâcheront pas si facilement, explique Cape-Rouge. Ils vont se mettre à quai. Ensuite, cette nuit, quand l'œil de l'ouragan passera, que le vent et la pluie s'apaiseront, les Espagnols croiront que c'est fini. Ils investiront la ville.

— Pas en pleine nuit. Ils attendront le matin.

— Non, ils n'attendront pas, car la tempête ne leur permettra pas de bombarder autant qu'ils le souhaiteraient. Pour garder l'avantage, ils vont s'empresser de mener l'attaque. Ils bouteront le feu aux maisons pour faire de la lumière et penseront nous en déloger.

— C'est là qu'on les attaquera?

— C'est là. Et il faudra résister jusqu'à ce que la tempête reprenne.

15

Le *teniente* Joaquín Rato a peur. Enfin, il croit qu'il s'agit de la peur, car il n'a onques senti un tel mal-être en lui. Même au plus fort d'une bataille, même quand l'ennemi vous arrose de feu et de fer, que les plastrons éclatent sous les haches et les plombs, que les têtes tombent sous les sabres, il n'a onques éprouvé un sentiment de la sorte. Il anticipe de voir son corps sombrer dans les flots, son casque de fer, son armure de fer, son épée de fer et ses lourdes bottes l'empêchant de revenir à la surface. Mourir en saignant, en suant, en haletant face à l'ennemi, face au soleil, oui, mais pas ainsi, pas en s'enfonçant dans des profondeurs grises, la poitrine remplie d'eau, avec pour seuls témoins, non pas le regard de guerriers respectueux, mais celui de poissons indifférents. Le lieutenant Rato ne veut pas mourir à la manière d'un vulgaire matelot. Son refus d'une telle fin le pousse même à hausser le ton devant son *capitán*, Luis Melitón de Navascués.

— Mais enfin, Excellence, il n'est plus possible de tirer sans risquer de prendre une bordée des nôtres! De plus, le vent, au lieu de mollir, continue à forcir comme si ces foutus pirates avaient véritablement conclu un pacte avec le diable.

De Navascués, de son côté, n'a plus l'esprit pour déterminer si son second use du ton adéquat pour s'adresser à lui. Son estomac a pris la place de son cerveau et il vomit tant et tant par-dehors comme par-dedans du bastingage qu'il lui semble maintenant cracher ses tripes. Aux restes de repas a suivi la bile qui part dans toutes les directions, poussée par le vent, maculant son corselet et ses bottes. La pluie, à qui il faut concéder cet heureux avantage, nettoie tout au fur et à mesure en cinglant le pont et le métal des plastrons.

De Navascués a fini par comprendre comment se comporte son mal : entre chaque série de spasmes qui le font vomir, il y a un moment de répit où ses pensées reviennent à la normale. Le moment est bref, mais suffisant pour se ressaisir et réfléchir. Retenu à la filière du château de poupe, il s'étonne de trouver la côte moins visible encore qu'il y a une minute. Son lieutenant a raison :

l'escadre n'affronte pas un vulgaire orage, la tempête va perdurer.

— Peux-tu encore être vu du *Géhennes* si tu te tiens à la poupe? demande-t-il en hurlant même si son officier se trouve à côté de lui.

— Je crois, oui, Excellence.

— Fais signe à Feulion. Qu'il nous guide à l'intérieur de la rade. Que les hommes de barre se tiennent prêts, on atterrit sur cette foutue île.

Rato prend congé de son supérieur après un salut à peine esquissé. Il s'accroche à la filière pour traverser le tillac, croisant au passage la mine alarmée de ses hommes qui œuvrent autour des canons d'une seule main, se retenant de l'autre aux bragues, aux gal-haubans ou aux râteliers. Le navire malmené craque de toute sa membrure, véritable cri de douleur qui se mêle aux canonnades, au beuglement du vent dans les mâtures, au claquement des drisses qui fouettent l'air, au cognement des poulies contre les mâts et au fracas des vagues sur les coques.

Debout au centre de la poulaine, agrippé aux herpes, Rato retrouve la silhouette mouillée du *Géhennes* qui a affourché à une certaine distance, histoire d'éviter que le vent ne lui fasse aborder la caravelle. La fumée des canons s'est atténuée, soit parce qu'elle se trouve davantage rabattue par la pluie, soit parce que le rythme de la canonnade s'est apaisé. Cette dernière hypothèse soutire un juron de la bouche de l'officier, juron que la tourmente a vite fait d'emporter.

De mouvements de bras énergiques, il finit par attirer l'attention d'un matelot du brigantin qui s'empresse d'aller quérir son capitaine. Feulion — sans doute parce qu'il s'y attend — comprend immédiatement les directives muettes données par l'Espagnol, mais par une gestuelle ampoulée, signifie son refus de s'approcher de l'île.

— ¡Madre de Dios! grince Rato pour lui-même. Je savais que le *capitán* avait tort de se fier à ce gueux des mers.

Sur le *Géhennes*, Feulion s'agite en lançant des ordres à senestre et à dextre, sans souci de savoir s'il les lance au bon manœuvre. Trois de ses marins, responsables d'autant de canons, viennent d'être emportés par une lame gigantesque qui a secoué le brigantin ainsi qu'un vulgaire bouchon.

— Par la barbe de Satan! jure Feulion en croisant le pirate malingre à demi sourd qui lui tient lieu de second. Cette oie d'Espagnol entend nous faire atterrir sur l'île par pareille mer. On va faire s'échouer tous les navires si on s'obstine à affronter le grain le long de la côte.

— Faut reprendre le large, cap'taine, approuve le second qui devine plus qu'il ne comprend les paroles de Feulion. Faut s'éloigner de c'tes caraques qui menacent de nous aborder à tous les coups d'vent, et fuir* tant qu'on peut, ou lofer*, mais Cap de Bious, cessons d'lutter par le travers.

— Tu as vu le bigot sur la caravelle ? Ce n'est pas ce qu'il demande ; il veut qu'on guide les navires dans le chenal qui mène à la rade.

— Mais cap'taine, on peut pas faire ça, tu l'sais. Avec ce rhumb, y a qu'une direction à suivre, et c'est l'côté opposé à la rade, sinon on va perdre le *Géhennes*.

— On ne peut pas refuser non plus, autrement, adieu l'amnistie demandée aux Espagnols.

— Si j'ai l'choix entre me trouver mort amnistié ou vivant condamné par des Espagnols morts, ma décision est toute prise.

— Ce n'est pas si simple, ce n'est pas…
— Défiez-vous !

Le cri est venu de l'autre extrémité du tillac : un matelot pointe son indice tremblant en direction de la poupe. Feulion et son second lèvent la tête pour apercevoir, presque à la hauteur des hunes, arrivant avec un beuglement assourdissant, une lame furieuse, démesurée, dont les griffes d'écume, agrippées à la base des nuages, s'apprêtent à s'abattre sur les navires. La cime se déroule en un mouvement lent, presque pervers, avant de se jeter avec fracas sur le château de poupe. Elle balaie le pont de débris arrachés aux manœuvres et à la charpente, étouffe les canons au passage et déverse sa violence jusqu'à la proue où elle se fond dans la mer en emportant deux hommes.

Le safran*, heurté par le travers, secoue si fort la mèche du gouvernail que les trois marins à la barre sont projetés au sol. Ils se relèvent incontinent pour tenter de redresser l'orientation du *Géhennes* qui, un câble rompu net sous le bossoir de capon*, vient maintenant à l'appel de la seule ancre qu'il lui reste, tournoyant si fort qu'il embarque* à tire-larigot.

— On va périr ! hurle le second.

— Caponnez ! ordonne Feulion aux hommes œuvrant à la proue. Vite !

Sitôt la première toise de câble ramenée, le navire cesse de gîter, mais pointe dangereusement en direction des brisants qui marquent l'entrée de la rade.

— À toi la décision, cap'taine! lance le second de Feulion en fixant son supérieur dans les yeux comme pour le défier. Faut penser vite.

— Que le feu Saint-Antoine arde tous ces fols Espagnols! jure Feulion avant de se décider à crier à ses hommes: Abattez jusqu'à passer les récifs, ensuite, barre sous le vent, tenez la cape avec la voile au bas ris et lofez!

Sitôt que les timoniers ont orienté le gouvernail pour abattre*, le *Géhennes* bondit sur les vagues démesurées. À bord de la caravelle, toujours agrippé à l'amure de misaine, le lieutenant Rato n'en croit pas ses yeux.

— Par le sang du Christ! jure-t-il en se signant dans la seconde qui suit pour éviter le blasphème. Le pirate nous abandonne.

Aussitôt qu'il constate la vitesse avec laquelle le brigantin se fond dans la tempête, il bondit vers les hommes affairés au beaupré et hurle, en désignant les deux canons de proue:

— Ils sont chargés ?

— Oui, Excellence, répond un novice qui s'étouffe à crier face au vent.

— La poudre est sèche ?

— Peut-être, répond un autre soldat.

— Tirez les bordées sur ces traîtres avant qu'ils disparaissent.

— Le brigantin, Excellence ?

— Oui, par le Christ ! Ce vaisseau de pirates. Envoyez-lui du fer !

Quatre hommes, courbés pour mieux résister au vent, retranchés derrière un cagnard, s'affairent à rallumer la mèche qui, encore chaude, a résisté à l'humidité. Deux secondes s'écoulent avant que le bout brasillant perce la couche superficielle de poudre qui s'humidifiait dans le premier canon. Sitôt que la chaleur atteint le niveau sec de la charge, la bouche crache sa bordée dans une explosion qui, au milieu de la tempête, prend l'aspect d'une toux discrète.

— Au deuxième, vite ! ordonne Rato qui, à cause du rideau de pluie quasi opaque, ne peut apprécier si le coup a porté.

Les canonniers s'y prennent à trois reprises, mais la charge du second canon est trop humide : le coup ne part pas. Rato sait que le temps de bourrer une nouvelle charge, le brigantin aura complètement disparu. Il fonce en direction du château de poupe où il trouve de Navascués en compagnie de deux autres officiers.

— Le capitaine Feulion a refusé vos ordres, Excellence, lance-t-il d'entrée sans même saluer. Le *Géhennes* a caponné et quitte son poste.

De Navascués peine à masquer son dépit. Pas question de rester plus longtemps sur ces ponts qui bougent sans cesse.

— Alors, on abordera sans lui, rétorque-t-il en déplaçant une jambe pour garder son équilibre après un roulis vif.

Ses officiers, supportant mieux le mal de mer et les mouvements du navire, restent campés sur leurs deux pieds.

— Il doit bien se trouver quelque marin d'expérience sur le galion ou les caraques pour ouvrir le chenal devant...

— Excellence, proteste Rato en coupant son *capitán*, sauf votre respect, c'est folie que de se déplacer par un pareil vent de travers à l'intérieur d'un chenal inconnu ceinturé de brisants. Il faut imiter ce traître de Feulion et nous éloigner de l'île.

— Vous contestez les ordres, lieutenant? beugle de Navascués que la colère guérit un moment de sa nausée.

Il se redresse en abandonnant la filière.

— Je vous somme d'aviser immé...

Un fracas soudain, si fort qu'il étouffe tant les mugissements de la tempête que les craquements de la membrure, noie le reste du commandement. Le *capitán* ne prend pas la peine de répéter, assuré que sa volonté est claire de toute façon, et parce qu'il s'intrigue de la cause du bruit violent entendu.

— Ça venait de l'île, lance un officier en fixant la silhouette sombre des côtes. On aurait dit...

— Là! Là, voyez! dit un autre. La montagne! Elle bouge!

— Mais non, espèce d'âne, conteste de Navascués. C'est le rideau de pluie qui fait illusion.

— Pardonnez mon insolence, Votre Grâce. C'est folie, je sais, mais je vois bouger cette diable de...

— Par le sang du Christ! éclate la voix du *teniente* Rato. Défiez-vous!

Le *capitán* et ses officiers, fascinés par les lignes floues des versants des collines qui semblent soudain se jeter dans la mer, n'ont pas remarqué le banc d'écume bouillonnante qui vient de surgir à la hauteur même des perroquets et qui s'abat sur le pont. La force est telle que la caravelle donne furieusement de la bande, ses vergues explosant en touchant l'eau. Les ancres échappent le fond, s'y agrippent de nouveau, résistent en un choc si violent que les câbles se brisent en battant l'air à la manière de cravaches. Cramponnés à la barre de gouvernail, les timoniers s'efforcent d'abattre, mais les éléments sont devenus irrésistibles et la caravelle vire lof pour lof, culant en direction des brisants. La tempête l'en dévie toutefois et pousse le navire loin de l'entrée de la rade de Baie du Diable. Les vents paraissent contenir suffisamment de souffle pour déporter la caravelle jusqu'aux côtes de la *Tierra Firme*, mais les hauts-fonds s'interposent bien avant.

— Retenez-vous à ce que vous pouvez! hurle le lieutenant Rato. Ça va secouer.

Son avertissement arrive une seconde avant que le vaisseau talonne à une portée d'espingole de la côte. Le choc est si intense que les bordages du franc-bord s'ouvrent et la coque se met à prendre l'eau par toutes les coutures.

16

Une fois la totalité des habitants de Baie du Diable réfugiée dans les grottes boueuses qui creusent les flancs des collines, Cape-Rouge, chapeau enfoncé jusqu'aux yeux et retenu par un foulard, enveloppé de sa mante trempée, rameute ses hommes les plus près pour un conseil de guerre. Sans vote, de la manière la plus naturelle qui soit, Urbain prend la place de Barbe-Rêche et Lionel, davantage à cause de son jeune âge, car il ne sait ni lire ni écrire, celle de Lucas.

Joseph le chirurgien, qu'on a accommodé à l'écart sous un étroit abri de roche afin qu'il puisse user de ses talents au cours de la bataille, accueille le groupe. Le promontoire où est sis son dispensaire de fortune bénéficie d'une trouée dans les arbres, ce qui permet aux hommes de profiter d'une vue sur l'anse et de deviner, entre les voiles de pluie, le mouvement des vaisseaux ennemis.

Du moins, le temps que le soir tombe.

— La mer grossit, fait remarquer N'A-Qu'Un-Œil. Ils ne peuvent pas rester comme ça, au large, il faut qu'ils relâchent*.

— Juracán est en train de faire le travail pour nous, lance Joseph, d'un ton manifestement soulagé par la perspective. Peut-être que je n'aurai que des naufragés espagnols à soigner, après tout.

Cape-Rouge, usant d'une voix forte, plus pour couvrir le vent que pour démontrer de la colère, gronde :

— Que je te prenne à recoudre la peau de l'un de ces papalins ou à panser les plaies de ces traîtres qui se sont acoquinés avec eux. Tu te serviras plutôt de tes outils pour leur ouvrir la panse.

— Quand on attaquera, fait Urbain, on ne pourra guère user d'arquebuse ni de pétrinal avec cette pluie.

— Eux non plus, rétorque Cape-Rouge. Mais ne t'en fais pas, on a plus d'arbalètes et de sabres que d'hommes pour s'en servir.

— Est-ce qu'on a aussi des…

— Par le diable ! jure N'A-Qu'Un-Œil.

— Qu'est-ce qui se passe ?

— Là, capitaine ! Voyez cette vague qui arrive.

— Sang-Diou! Est-ce vraiment là une vague?

La masse, au départ, n'avait semblé être qu'un rideau de pluie plus épais. Toutefois, même de cette distance, les pirates peuvent maintenant distinguer le mouvement de l'écume bouillonnante prête à s'abattre sur la silhouette du *Géhennes*. Souffle retenu, les hommes observent les lignes du brigantin se dissoudre dans la montagne d'eau, évanouies de longues secondes comme si la mer avait avalé le navire. Lorsqu'il réapparaît enfin, tournoyant à l'appel de la seule ancre qu'il lui reste, les pirates, en marins aguerris, savent que Feulion n'a d'autre option que de caponner et de prendre le vent arrière pour se laisser dériver hors de la zone des hauts-fonds. Ensuite, il lui faudra laisser fuir le brigantin en s'efforçant de limiter les dégâts jusqu'à ce que les éléments s'apaisent.

— Il abandonne! clame Grenouille.

— Palsambleu, il n'a pas le choix! reconnaît N'A-Qu'Un-Œil. Finalement, ce cocher de fiacre n'est pas si obtus.

— Ça ne paraît pas plaire à l'Espagnol, fait remarquer Urbain, yeux plissés, cherchant à interpréter les mouvements flous qu'il perçoit.

— Tu as raison, acquiesce Cape-Rouge.
Il lui envoie une bordée.

— Trop tard, je pense.

— Je ne le vois plus, dit Main-de-Graisse
après un moment.

— Ni moi.

— Ni moi.

— Je suppose qu'ils vont…

Un vacarme aussi soudain qu'assourdissant enterre les paroles de Joseph. Au même
instant, le sol de l'abri vibre avec une intensité telle que tous les hommes se retrouvent
par terre, pareils à ces matelots, au loin, sur
les ponts dansants des navires malmenés.

— Que… qu'est-il arrivé? balbutie
Lionel.

— Mais qu'est-ce qui se passe? insiste
Grenouille, à quatre pattes, la poitrine pulsant d'une rumeur sourde. Font-ils sauter la
baie avec un brûlot?

— C'est un tremble-terre, affirme Joseph,
le visage blanc de peur.

— Une tempête ne provoque pas de
tremble-terre, émet Urbain. Je ne crois pas.

Cape-Rouge, toujours muet, mais le
premier sur ses pieds, se précipite hors
de l'abri.

— Capitaine! appelle N'A-Qu'Un-Œil en se relevant, une main sur un genou écorché. Mais où est-ce qu'il va? Capitaine!

Le maître de Lilith, empli d'un mauvais pressentiment, court sur le sentier boueux qui mène à la colline voisine. En moins de cinq secondes, il est immobilisé. Devant lui, là où la piste devrait longer un versant herbu qui mène à l'abri des villageois, la sente s'arrête brusquement, le rebord réduit à des plaques de boue qui se détachent encore pour tomber dans un abîme frais creusé.

— La colline est partie, échappe-t-il, incrédule, quand Urbain le rejoint.

— Quoi?

— On ne peut plus avancer. Il n'y a qu'un trou.

Le matelot contourne son capitaine pour constater le phénomène puis recule de trois pas quand il sent le sentier s'effriter sous lui. Il lève les yeux et la masse rocheuse qui détermine cette partie-ci de la colline ne le rassure qu'à demi.

— Ne restons pas là. C'est un glissement de terrain. Ce n'est peut-être pas terminé.

— Mes gens. Mes villageois, proteste Cape-Rouge quand Urbain le pousse vers la sécurité du sentier.

— Il n'y a… rien à faire, Armand… capitaine. Rien à faire. Viens.

— Mes gens.

— Viens.

Les lèvres de Cape-Rouge n'ont pas bougé depuis que le soir est tombé. Il s'est assis à l'entrée du dispensaire désormais inutile, recevant par muids entiers les bourrasques chaudes crachées par Juracán. Peut-être trouve-t-il là matière à partager en partie le sort des habitants de Baie du Diable, maintenant ensevelis au cœur de Lilith, un ruissellement bourbeux en guise de caveau, une montagne comme sépulcre. Après un moment, la tempête qui, au lieu de s'essouffler, persiste à gagner en puissance l'oblige à retraiter à l'intérieur de l'abri. Le vent, en s'engouffrant dans la cavité où les pirates se sont retranchés, émet un cornement lugubre, pareil à l'olifant des Abymes lorsqu'il célèbre les âmes nouvellement accueillies.

Au soir succède la nuit. Il devient rapidement impossible de distinguer l'anse et les mouvements des navires. On n'a même pas vu s'échouer la caravelle de de Navascués.

Aussi chacun finit-il par se contenter d'attendre, assis ou étendu dans le réduit, en imitant le mutisme de Cape-Rouge. Tous se réfugient dans leur propre chagrin. Grenouille, Poing-de-Fer, Joseph, Vernois et Main-de-Graisse surtout, chacun ayant perdu une amante ou un proche dans le glissement de terrain.

— L'œil de Juracán s'ouvrira bientôt.

Il y a si longtemps que personne n'a émis un mot, l'ouragan s'est apaisé avec une régularité telle, que tous tressautent en entendant la voix d'Urael. L'Amériquain, debout, une épaule appuyée contre la paroi près de l'entrée, à peine éclairé par la mèche qui sert de torche discrète, a parlé en son dialecte caribe que seuls Cape-Rouge et Urbain entendent. Chaque pirate, toutefois, a saisi.

Cape-Rouge s'ébroue en frottant son visage des deux mains avec vigueur. Il poursuit ensuite le mouvement en glissant les paumes vers l'arrière, des tempes à la nuque, comme s'il y ramenait une chevelure qu'il ne possède pas. Après avoir remis son chapeau, il se relève en pliant un genou à la fois, massant ses cuisses percluses et ses reins douloureux. Il est temps, se dit-il, de cesser de penser aux morts pour orienter ses pensées vers les vivants. Ceux qui restent, ceux

qui vont le suivre, dans la mission de vengeance qu'il vient de se donner.

Urbain demande :

— Combien de navires ont réussi à aborder l'île ?

Cape-Rouge, qui a rejoint Urael près de
l'entrée, tente de percer la noirceur qui enve-
loppe Lilith. La pluie qui, bien qu'affaiblie,
continue de goutter sur la sylve et de frapper
les pierres de la colline étouffe tout bruit
venant d'en contrebas.

— Il faudrait s'y aller aviser, répond-il en
arawak. Il se peut qu'ils aient tous sombré.

— Laisse-moi faire, suggère Urael. Je
descends à la mer et je remonte vous trouver
avant que l'œil de Juracán ne se soit
refermé.

— Pas tant qu'on ne pourra voir trois pas
devant soi. Tu vas te tuer si tu dévies du
sentier.

Le Naturel renvoie l'un de ses rares
sourires.

— Je suis né dans ces forêts, capitaine.
Chaque arbre est pour moi un guide. Je n'ai
pas besoin de lumière pour aller où je veux.
Et les cailloux de la piste me conduiront.

Une fraction de seconde, Cape-Rouge
croit percevoir très loin, en un point qui doit

se trouver un peu plus haut que l'horizon, une lueur faible et éphémère, une étoile sûrement, qui a percé la masse orageuse, indice que l'œil de l'ouragan approche, prometteur, invitant, la baillant belle, tandis que Juracán, le traître, sans pitié pour ceux qui auront cru en son apaisement, reviendra tout soudain, aussi fort, aussi violent, aussi meurtrier.

Le répit sera de courte durée, se dit Cape-Rouge quand il place la main sur l'épaule d'Urael.

— Sois prudent.

Sans se retourner, comme la flèche attend la détente de l'arc avant de filer vers sa cible, l'Amériquain, silencieux, disparaît pour s'enfoncer dans la nuit.

De longues minutes s'écoulent, ponctuées ici et là par un reniflement, sanglot retenu par ces hommes trop fiers pour démontrer leur chagrin et qui masquent leurs soupirs en prétendant qu'il s'agit de la pluie qui tombe. Un pan de ciel, tout à coup, ouvre sa mante noire et expose l'éclat vif de sa voûte étoilée. L'ouverture est ronde ; c'est l'œil de Juracán. Comme pour en accentuer l'effet, en son milieu, une lune pleine aux trois quarts tient lieu de pupille. Sous son reflet, la cime détrempée des arbres scintille ainsi qu'un cristal liquide, animé par une brise encore trop vive.

— Jarnidieu! Qu'est-ce que c'est que ça? s'exclame soudain N'A-Qu'Un-Œil qui, comme la plupart de ses compagnons, a quitté la touffeur de l'abri pour profiter de l'air plus frais du dehors.

— Morbleu, capitaine! renchérit Main-de-Graisse. Vous voyez cette lumière, en bas? Y a l'feu, on dirait.

— Ce sont les Espagnols, répond Cape-Rouge qui n'a pas bronché. Ils brûlent Baie du Diable.

— Les misérables! Ils ne l'ont pas assez détruite avec leurs boulets?

— Ils veulent nous interdire toute envie de rebâtir le havre. Et puis, l'incendie leur servira de torche géante; s'ils sont assez nombreux, ils vont tenter de nous débusquer, à présent.

— Combien en reste-t-il, justement, de ces drôles? se demande Urbain. On pourrait peut-être les attaquer comme prévu.

— Nous ne sommes qu'une quinzaine, maintenant, fait remarquer Joseph.

— D'accord. Mais d'eux, il ne doit guère en subsister plus.

— On va le savoir, tranche Cape-Rouge. Là, cette silhouette ; c'est Urael qui revient.

Le Naturel, en effet, aussi silencieux que la lune lorsqu'elle monte à l'assaut du ciel, arrive au pas de course, aidé par la lumière venue d'en haut et d'en contrebas. Quand il s'adresse dans sa langue au capitaine, Urbain traduit à mesure aux autres pirates.

— Il y a deux *piraguas* géantes qui se sont échouées, quatre ont réussi à entrer dans l'anse et à s'abriter au quai. Cependant, deux penchent sérieusement. Un moment, contre une trouée du ciel, il m'a semblé distinguer les silhouettes de trois, peut-être quatre autres au loin, sur la mer.

— Et les canots ?

— Il y en a plein, la plupart en mauvais état, car ils sont sans doute arrivés dans la tempête, lorsque les *piraguas* géantes ont touché le fond. Le quai et le village grouillent de soldats espagnols et de leurs alliés. Ils brûlent tout. La bonne nouvelle, c'est qu'ils n'ont aucun bâton de tonnerre.

— Toute leur poudre aura été mouillée par l'ouragan, conclut Cape-Rouge. N'empêche, impossible de les attaquer s'ils ont survécu en aussi grand nombre.

— Qu'est-ce qu'on fait, alors? s'impatiente Grenouille dont le désir de vengeance s'accroît à la seule pensée que la tempête a été aussi indulgente. On ne va pas les regarder détruire Lilith et s'emparer de votre trésor, capitaine?

— *Notre* trésor, même, précise Main-de-Graisse, car ils ne se contenteront point de vider la maison du capitaine.

— Une chose est certaine, réplique Cape-Rouge, on n'attaquera pas une centaine de traînegaines* à quinze hommes. Ce serait du sabordage.

— On sait que vous avez un plan, émet N'A-Qu'Un-Œil. Ordonnez. On vous suit.

— On a environ deux coups* devant nous avant que Juracán se remette à souffler. Il faut retourner discrètement sur l'*Ouragan*, larguer les amarres, manœuvrer au beaupré pour sortir du havre en profitant de la lumière de la lune et des incendies, traverser la rade et reprendre la mer.

— Les Espagnols vont nous repérer avant qu'on ait largué toutes les voiles! proteste Vernois.

— C'est certain, approuve Cape-Rouge. Mais on a l'avantage du fait qu'ils n'ont plus ni canons ni arquebuses.

— Les navires au large vont nous intercepter !

— S'ils ne sont plus que trois ou même quatre, qu'importe. Le brigantin de Feulion a fui, il s'agit donc de vulgaires caraques ou chébecs avec quelques canons chacun. On en possède autant à nous seuls. On peut en venir à bout.

— Mais…, hésite Urbain, n'as-tu pas dit que la tempête reviendrait aussi forte que tout à l'heure ?

— À n'en point douter.

Même dans cette pénombre, le capitaine des pirates distingue l'expression d'effroi qui se dessine sur chaque visage. Urbain reprend :

— En ce cas, une fois au large, ne risquons-nous pas le naufrage à notre tour ? Avec seulement quinze hommes pour manœuvrer en pleine tourmente ?

Cape-Rouge laisse un bruyant soupir marquer la pause qu'il se donne avant de répondre, de manière à attirer davantage — si cela se peut — l'attention de ses hommes. Finalement, il jette, fataliste :

— Le choix qui s'offre à nous est le suivant. Soit nous restons cachés dans cette grotte tandis que les Espagnols trouvent l'*Ouragan* et le brûlent. Dans l'intervalle, nous prions pour qu'au matin Juracán ait tué tous nos ennemis. Si oui, nous serons naufragés sur une Lilith dévastée sans plus de moyen de reprendre la mer qu'un galion incendié, une caravelle et quelques caraques, voire un autre galion, échoués. Soit nous prenons la mer à musse-pot* et tentons de tenir tête à Juracán le temps qu'il se calme.

— Par le diable! jure N'A-Qu'Un-Œil en pivotant sur lui-même pour défier chacun de ses compagnons du regard et les exhorter à accepter la proposition du capitaine. Il ne nous reste plus personne à protéger ici, tous nos gens sont morts. Et il sera toujours temps, plus tard, de retrouver ces taille-lards de papistes pour nous venger. Et moi, moi, je veux retrouver la mer, me battre contre elle et tous les démons indiens s'il le faut, mais je ne veux plus me terrer dans une crypte ainsi qu'une chauve-souris.

— Je suis, rétorque aussitôt Urbain.

— Moi aussi, assure Lionel qui épaule sans cesse son compagnon malouin.

— Moi, je préférerais qu'on attaque ces foutus papalins, dit Grenouille.

— Quant à moi, émet Poing-de-Fer de sa voix toujours incertaine, j'aime pas réfléchir. Alors, je me range derrière mon capitaine.

— Je suis, approuve Joseph.

— Je suis, répète Vernois.

— Je fais pareil, entonnent d'une même voix trois autres hommes.

Ceux qui restent agréent d'un simple mouvement de tête, dont Urael à qui Urbain a traduit la discussion.

— Je ne peux quand même pas me battre tout seul, ronchonne Grenouille en faisant mine de s'intéresser au voile de peau qui relie ses doigts.

— Alors, ne tardons plus, conseille Cape-Rouge.

17

Appelé le lac Maigre, le havre où l'*Ouragan* a été soustrait à la tempête est un bassin étroit, mais profond, qui longe la falaise de granit servant de rempart naturel au ponant de Baie du Diable. On y accède par un chemin tordu au cœur d'un sous-bois d'épineux qui contourne la colline de grès, parsemé de grottes où, par temps clair, les hirondelles de mer piaillent en une colonie plus vaste qu'un essaim de mouches.

— Je me demande où les oiseaux vont nicher, désormais, murmure Joseph en devinant dans la pénombre l'immense trou qui a remplacé la colline.

Chacun ressent la pudeur du chirurgien dans cette observation froide, dans cet artifice qu'il a trouvé pour parler des siens en évoquant les oiseaux. Aucun ne trouve la manière de répliquer sans nœud dans la gorge, aussi tous se taisent.

Sauf pour un étai qui a ragué* et une partie du bordé entamé par des branches de palétuviers qui ont battu trop près, l'*Ouragan* n'a pas souffert des premiers assauts de la tempête. Le choix du lac Maigre comme abri a donc été heureux. Lorsqu'ils montent l'échelle de coupée, les pirates se réjouissent de trouver leur navire en aussi bon état en caressant le bois ainsi qu'on mignoterait un animal retrouvé.

— Vous êtes certain que la tempête va reprendre? chuchote N'A-Qu'Un-Œil tandis que, penché sur un râtelier du château de proue, il embraque* une écoute.

Cape-Rouge appuie une main sur l'épaule du bosco dans un geste amical dont il use rarement. Cette nuit, il ressent une sympathie sans bornes pour les hommes qu'il lui reste. La perte des habitants de Baie du Diable l'affecte au-delà de ce qu'il aurait cru. Il répond d'une voix retenue, empreinte de considération.

— Je ne parie onques sur les desseins des dieux ni des diables, toutefois il m'est arrivé à trois reprises de me trouver au cœur d'une tempête de cette puissance. Chaque fois, elle s'est calmée pour reprendre aussi fort au bout d'un moment. Comme pour faire baisser la garde de l'imprudent qui s'est cru épargné et pour mieux l'emporter par la suite. C'est à croire qu'ici, dans les Indes occidentales, ce n'est pas le dieu des chrétiens qui contrôle les éléments, mais bien les démons des Indiens.

À une quinzaine d'hommes seulement pour appareiller, les pirates se consacrent chacun à plusieurs tâches, Cape-Rouge y compris, dénouant une manœuvre ici, attachant une drisse là, caponnant, déferlant, étarquant, dévirant, brassant, embraquant... Ensuite, à cause de la lumière trop faible et puisqu'il n'est pas possible, de l'arrière, de diriger adéquatement le navire dans l'étroit passage, Cape-Rouge se place à l'étrave. Afin de commander aux timoniers sans avoir à crier et attirer ainsi l'attention des Espagnols, une chaîne humaine d'une dizaine de matelots est établie entre la proue et la poupe.

Dans un clapotis qui se mêle à l'égouttement des arbres, l'*Ouragan* s'éloigne de la berge et se laisse pousser par une brise de terre indocile, mais constante, hors du lac Maigre et en direction de la baie. Les hommes de barre, Philibert et Robert, deux frères jumeaux qui se ressemblent autant qu'un perroquet et un marsouin, réagissent à la seconde dès qu'une instruction leur parvient, sachant qu'elle a mis le temps de transiter par dix bouches. La civadière, carguée à demi pour qu'elle ne se remplisse point de trop de vent, tire le bâtiment avec juste ce qu'il faut de halage. Le taille-mer ouvre l'onde en soulevant un mince chapelet écumant, liseré de velours léger que moire la lumière lunaire.

Quand l'*Ouragan* atteint l'angle de l'avancée de terre qui donne sur la rade, il trouve devant lui, profilés par la lueur dansante des incendies, les deux caraques, le chébec et le galion espagnol qui ont trouvé refuge dans la rade.

— Pas possible que le galion et le chébec nous ajustent, chuchote N'A-Qu'Un-Œil à son capitaine. Ils gîtent trop.

— Reste plus que deux misérables caraques qui me paraissent fort mal en point, se réjouit Cape-Rouge. Tu vois du monde à bord?

— Trop loin, trop sombre. Je demande à Lionel; il a de bons yeux.

— C'est désert, répond le mousse après qu'on lui a posé la question.

— Allez, tous aux canons! Avec le tonnerre qu'on va faire, peu me chaut maintenant de crier aux timoniers.

Ricanant dans l'anticipation de la surprise qu'ils réservent aux Espagnols, les pirates se précipitent à tribord sur huit bouches à feu de la première batterie, qu'ils s'empressent de charger avec le contenu des gargousses bien au sec qui étaient rangées dans la sainte-barbe. Retranchés derrière le bastingage, tandis que le navire émerge du passage pour longer les quais, les matelots aperçoivent enfin ce qui reste de Baie du Diable. Toutes les habitations qui leur sont si familières, si chères, flambent en crachant feu et fumée par chaque fenêtre, chaque porte, chaque toit. Même celle de Cape-Rouge qu'on distingue à mi-pente, avec son jardin; elle flambe si fort qu'elle éclaire tout un flanc du promontoire de la corne de Belzébuth. Une épaisse fumée monte vers l'œil de Juracán, masquant lune et étoiles comme en plein cœur de la tourmente.

Armés de torches, sabres au clair, des soldats espagnols et des mercenaires à leur solde, forbans et gueux de mer à qui on aura offert amnistie et une part du trésor de Lilith, parcourent les ruelles, enflammant un appentis oublié, un poulailler, une auge même. On ne veut laisser de la place que cendres et dévastation.

— Ils sont encore nombreux, fait remarquer N'A-Qu'Un-Œil. Juracán en a épargné beaucoup.

— Ils seront simplement plus nombreux à mourir quand le vent se remettra à souffler, tantôt.

— Tu vois ces officiers, là, au centre de la place, qui commandent aux soldats?

Cape-Rouge, accroupi au bastingage du château de proue, fixe le point indiqué par l'indice d'Urbain. Il distingue quatre silhouettes qu'éclaire à contre-jour l'incendie de la maison de Nez-Gris, derrière eux.

— Je vois.

— Le plus grand, le plus mince, avec ce morion à plumes: c'est de Navascués.

— Dommage. Trop loin pour l'arbalète ou l'arquebuse.

— Pas pour les canons.

Cape-Rouge se relève. D'une voix toujours retenue, mais à l'intonation plus autoritaire, il rétorque:

— Hors de question. Les canons, c'est pour les caraques.

— Tu le laisses s'en tirer, ce fils-de-rien?

Le capitaine hausse le ton afin que chacun puisse ouïr.

— Écoutez bien, tous : on n'a ni le nombre ni la force pour agir autrement que décidé plus tôt. Au passage des deux caraques, là, devant, on canonne pour les garder de nous poursuivre. Ensuite, il faudra se faufiler entre les trois, voire les quatre autres au large. On ne peut faire plus. Mais ne croyez pas que, pour autant, j'entends oublier ce qui est arrivé ce soir à notre île, à notre village, à nos gens… à notre trésor. Au contraire, je vous demande de vous efforcer de bien reconnaître les bâtiments que nous croisons. Sachez en identifier le propriétaire ou le capitaine. Il sera toujours temps, par après, de les retrouver pour nous en revancher.

— Je vois des hommes courir sur le pont du galion, capitaine, annonce N'A-Qu'Un-Œil. Je crois qu'ils nous ont aperçus. Ils vont sonner l'alerte.

Cape-Rouge éclate de rire.

— La belle affaire, tiens ! On va la sonner pour eux, l'alarme.

Il tire son épée, mais puisqu'il n'a pas l'intention de monter à l'abordage des navires ennemis, c'est davantage pour se donner une contenance que pour se battre. Il ordonne :

— Alignez la bouche des canons sur les caraques.

— C'est fait depuis longtemps, capitaine, confirme Urbain, le dépit et la hargne qu'il entretient pour les Espagnols mêlés dans sa voix.

— En ce cas… Feu !

El capitán Luis Melitón de Navascués respire mieux. Même s'il sent encore un peu le sol bouger sous ses bottes — impression qui se dissipe —, il sait se trouver sur une terre solide qui ne le trahira pas en le basculant à la mer. Maudite caravelle qui s'est ouverte contre la grève ainsi qu'un fruit mûr en tombant de son arbre. C'est miracle que les hommes aient eu le temps de mettre les canots à l'eau. Par après, il est vrai, il a suffi de se laisser porter par les vagues que poussait en rouleaux, vers la berge, ce vent furieux. Ensuite, les maisons vides ont servi d'abri. En tout cas, celles en pierres. Les autres ont vu beaucoup de leurs murs emportés.

— On n'a trouvé âme qui vive dans tout le village, Excellence. Même les chiens ne flairent aucune odeur.

Le lieutenant Joaquín Rato, visage et plastron couverts de suie, rapière souillée de cendres à défaut de sang, yeux rougis de fatigue, de sel et de fumée, attend les directives même s'il les devine, puisqu'il lorgne vers le versant des collines et le couvert de la forêt, là où il faudra bien donner l'assaut.

— Ces rats se terrent, rauque de Navascués, mais nous saurons les trouver.

N'ayant plus de nausées ni le souci de trouver à vomir en se masquant du mieux à la vue de ses hommes, il a repris de sa superbe, port altier, dos cambré, l'expression impénétrable hormis cette lueur de haine difficile à peser, en ce sens qu'on ignore souvent si elle s'adresse à ses ennemis ou à ses propres soldats. Le *capitán*, pourtant, n'est pas plus dur envers les siens qu'un autre officier de sa race. Il lui arrive même de complimenter ses hommes. Mais puisque, onques, on ne peut entrevoir à quel moment explosera sa colère, la crainte qu'il inspire est continue, partagée par tous, adversaires comme proches.

— J'ai envoyé les arbalétriers retrouver le galion de Cape-Rouge, dit Rato. Il ne peut être loin et plusieurs pirates s'y cachent sans doute.

— Peut-être pas, reprend de Navascués. S'ils avaient voulu fuir avec leur navire, ils auraient tenté cette tactique à notre arrivée, avant que nous ayons été en position de canonner. Non, ils veulent défendre cette île.

Deux autres officiers, sales, mais ravis, se joignent au lieutenant et à leur *capitán*.

— Cette folle tempête est terminée, note le premier en désignant du doigt la lune qui se voile et se dévoile au milieu des volutes de l'incendie. Puisqu'ils sont devenus inutiles, j'ai donné ordre d'abattre aussi les abris en pierre.

— Nous accusons si peu de pertes que c'est miracle, Excellence, réplique le second officier, son sourire luisant des feux de l'incendie. On a perdu la caravelle, certes, mais on ne déplore que quelques noyés, des radoubs à deux, trois navires, mais guère plus.

— Il y a ce Feulion qu'il faudra bien retrouver, grince Rato qui serre les dents quand il revoit en pensée le navire du pirate s'éloigner dans la tourmente.

— Si le diable l'a épargné, indique de Navascués, nous saurons le retrouver. Il est le prochain sur ma liste.

— Merveille, Excellence. Nous le…

Des cris venus du galion gîté attirent leur attention.

— Par le sang du Christ!

Le *teniente* Joaquín Rato, rapière à hauteur d'épaule, dans une réaction spontanée, court vers le quai. Prenant soudain conscience qu'il n'y peut rien faire, il s'arrête et revient vers son supérieur, la lame pointée derrière lui.

— Par… par le Christ, Excellence! C'est le galion de Cape-Rouge!

Se balançant derrière les coques des navires au quai, quatre mâts aux voiles ferlées se découpent vaguement dans la pénombre, écoutes et haubans dansottant sous les lueurs du village en flammes. À l'extrémité du beaupré, la civadière déploie un rectangle de toile grisâtre, bombé de brise.

— ¡*Madre de Dios*! jure de Navascués qui n'en croit pas ses yeux. Ils n'ont pas… Ils ont tout le village à bord…

Se ressaisissant aussitôt, épée au poing, plume au vent, il hurle:

— Alerte! Ho! De la caraque! Aux canons!

— Il n'y a plus que des mousses sur les caraques, Excellence, gémit un officier.

Tous les hommes nous prêtent main-forte
dans le…

Le reste de sa phrase se perd dans la
détonation quasi simultanée de huit bouches
à feu qui crachent le fer à bout portant dans
le corps des deux vaisseaux encore en mesure
de prendre la mer. Les bordés s'ouvrent à la
hauteur de la ligne de flottaison et deux mâts
se fracassent. Un cri de victoire s'ensuit,
vitement emporté par la brise, mais suffisant
pour noyer de Navascués et ses officiers dans
un bain de honte et de colère mêlées.

— On a trois autres bâtiments au large,
Excellence, clame Rato qui semble davantage
chercher à se rassurer que d'informer son
supérieur. Ils vont lui barrer la route.

— Tu crois ça ? hurle de Navascués. Tu
crois ça ? Vraiment ? Regarde bien. Regarde
faire ces misérables fils de baugears*, ces
taille-lards recrutés pour nous prêter main-
forte.

Comme s'il cherchait une victoire, si
mince soit-elle dans cette situation qui le
ridiculise, le *capitán* se réjouit, poing en l'air,
quand il constate qu'il a raison et que les
deux caraques et le chébec au loin, plutôt que
de courir sus au galion dont la grand-voile
et la misaine sont maintenant déferlées et

gonflées, s'éloignent plutôt de sa route pour n'avoir pas à l'affronter.

Quand les officiers espagnols perdent l'*Ouragan* de vue, ils s'imaginent d'abord que la distance est devenue trop grande. Il leur faut un moment avant de constater que la lumière de la lune s'est évanouie, que la trouée dans le ciel s'est refermée et que le vent forcit de nouveau.

18

Barre sous le vent tenue par les jumeaux, Robert et Philibert, et par Cape-Rouge lui-même, toutes voiles ferlées, écoutilles et sabords bien fermés, l'*Ouragan* se laisse porter par son « parrain », le démon Juracán, qui soulève des vagues monstrueuses, des montagnes fluides coiffées d'écume, qui le mène là où sa volonté l'inspire, vers d'autres îles du Pérou, vers le continent, voire au-dessus, au-delà de l'isthme du Panama, qui sait, en mer de Chine peut-être, au diable vauvert certainement. Sourds par le mugissement du vent, aveugles par la nuit sans ciel, les pirates savent que leur sort, désormais, ne dépend ni de leur adresse ni de la condition ou du mérite de leur vaisseau : tout repose maintenant sur la mer, sur sa colère ou son indulgence, sur sa faim d'avaler hommes et navires, sur sa soif d'âmes.

À l'occasion, les marins se trouvent rassurés par la foudre qui embrase les nuages et indique qu'aucune terre ne se met en travers de leur course folle, mais ils sont aussi alarmés à la vue de ces murs d'eau qui les entourent, de ces bêtes emballées que le galion chevauche. Les hommes qui ne sont pas nécessaires à la manœuvre sont réfugiés dans les cales ou les entreponts. Les autres s'agrippent à ce qu'ils peuvent, filières, haubans ou râteliers, pour ne pas se faire emporter chaque fois qu'une lame vient balayer le pont. Le plus difficile est de maintenir la barre sous le vent et d'éviter au galion de se présenter par le travers. À défaut de quoi, à la merci d'un roulis trop fort, il donnerait de la bande, mettant à mal mâts, vergues et tous les bouts-dehors.

Le matin met longtemps à s'allumer, mais dès lors qu'une bande mauve brosse le sud-est, la pluie cesse et les vents mollissent. Au milieu de l'avant-midi, enfin, au soulagement de l'équipage épuisé, les nuages chassent au-dessus d'une mer aux vagues encore grosses, mais qui ne sont rien en comparaison de celles des dernières heures.

— Aucun homme ne manque à l'appel, capitaine, rapporte N'A-Qu'Un-Œil en venant relever Cape-Rouge et les jumeaux à la barre. On a gagné.

— Si on veut, répond le maître de la pauvre Lilith, incapable d'ajouter un sourire à son soulagement.

— On amure la misaine?

Cape-Rouge lève le nez vers le soleil qui, déjà, sèche les huniers et les perroquets, et rêvasse de longues secondes à observer le mouvement des collines d'eau à l'avant. Puis, dans un haussement d'épaules où s'exprime tout le poids du monde, il réplique:

— Pourquoi pas? On n'a nul endroit où aller, autant suivre le vent.

Le sourire de N'A-Qu'Un-Œil démontre plus de soulagement que de joie.

— À vos ordres, capitaine. Allez dormir un peu. Avec trois ou quatre hommes, je vais tenir le cap jusqu'à...

— Voiles à tribord!

Le cri est venu de Lionel, sur les enflé-chures, à mi-chemin entre le pont et la hune de misaine. Tous les pirates se précipitent au bastingage. Une silhouette minuscule appa-raît et disparaît au gré du mouvement des flots, voile, hunier et perroquet du grand mât déployés.

— Espagnol? demande Cape-Rouge qui, décidément, a la plus mauvaise vue de tous. Vous voyez un pavillon?

— Difficile à dire, concède N'A-Qu'Un-Œil.

— Tu vois un pavillon? répète Urbain en hurlant à Lionel, toujours dans les haubans.

— Aucun, répond le mousse. Mais je crois bien le reconnaître, malgré tout. C'est un brigantin.

— Corbœuf! jure Urbain. Le *Géhennes*.

— Le *Géhennes*, ricane N'A-Qu'Un-Œil, sa pupille unique fixée sur l'horizon. Ce serait trop beau.

— On se le fait, capitaine? demande Grenouille qui n'a pas encore décoléré de n'avoir pas fondu sur les envahisseurs de Lilith.

— On court sus au brigantin? renchérit Main-de-Graisse qui n'est pourtant pas le premier, de coutume, à vouloir plonger dans la bataille.

Cape-Rouge, ses lèvres réduites à une mince ligne au milieu de sa courte barbe, prend le temps de jauger le ratio de fatigue envers la soif de revanche qui anime le regard de ses hommes. Lui-même, en sa poitrine, sent son cœur reprendre un rythme puissant qui souffle épuisement et lassitude, et engendre un regain d'énergie qui gonfle les bras, redevenus impatients de manier le sabre. Il pointe l'indice vers les jumeaux et ordonne :

— Barre à tribord, grand largue ! Approchez-vous de ce cocher de fiacre !

Bien qu'il tienne la mer sans roulis ni tangage excessifs, son étrave droit dans le rhumb de vent, le *Géhennes* présente tout de même de graves avaries. D'abord, la misaine est déralinguée sur son mât, lui-même rompu en dessous du capelage, sa vergue battant encore contre les étais et les haubans. On dirait que les hommes de Feulion n'ont guère eu loisir de s'adonner à raccommoder. Mais pour desservir pis le navire, le gouvernail est fracassé — sûrement ce boulet tiré par la caravelle espagnole — et l'empêche d'orienter sa route. Sans autre option que de se laisser porter, voiles déployées au grand mât, Feulion espère à coup sûr atteindre une côte le plus vite possible, île ou continent, que lui importe, pourvu qu'elle ne grouille ni d'Espagnols ni d'Indiens, et qu'il puisse y mouiller pour réparer.

— On ne lui laissera pas cette chance, ricane N'A-Qu'Un-Œil, pétrinal au poing.

— Avec ce gouvernail mort, il est tout à fait à notre merci, se réjouit Urbain. Impossible pour lui de manœuvrer et de se placer en position de canonnade.

— Suffit qu'on reste hors de sa ligne de batterie, ricasse Grenouille, de l'écume à la commissure des lèvres, le voile de ses doigts palmés déployé sur la poignée de son sabre. On peut lui envoyer bordée sur bordée sans qu'il puisse même riposter.

— Il doit posséder des canons de quatre à la poupe, tempère Cape-Rouge.

Il se tourne vers les jumeaux à la barre pour ordonner :

— À portée de tir, juste derrière lui, manœuvrez pour placer les batteries en position. On va d'abord bombarder la dunette.

Avec une joie manifeste, fatigue et frustration oubliées, les pirates prennent position autour des huit canons de bâbord sur le pont principal et se tiennent prêts à enfoncer les mèches allumées dans les charges de poudre. Sur le *Géhennes*, les marins ont compris et déploient des bonnettes et même une brigantine au mât de senau pour tenter de gagner de la vitesse, mais leur espoir est nul d'échapper à l'*Ouragan* muni de toutes ses voiles et de tous ses gréements intacts.

— Feu!

L'ordre de Cape-Rouge résonne ainsi qu'un cri de joie. Incontinent, les huit canons font gronder leur ventre et vomissent leur message de haine. Trois gerbes d'eau indiquent des tirs ratés, quatre boulets fracassent la dunette et un dernier rompt la vergue du grand hunier.

La clameur des hommes de Cape-Rouge manifeste autant l'allégresse que l'hallali. Grenouille et Poing-de-Fer se jettent même dans les bras l'un de l'autre, incapables d'exprimer autrement cette joie, ce besoin qu'ils ont d'en découdre, de détruire, de tuer.

— Amure bâbord! Grand largue! commande Cape-Rouge aux jumeaux.

Puis, aux autres matelots, il ordonne:

— Rechargez les canons! Parez à un tir d'enfilade, mais attendez mon ordre. On va d'abord se rapprocher par le flanc. Visez les sabords pour les désarmer. Essayez de ne pas atteindre de trop près la ligne de flottaison. Je ne veux pas le couler, je veux l'aborder.

À grande allure, l'*Ouragan* rattrape le *Géhennes* par tribord, son étrave à hauteur de poupe, au point que les matelots des deux navires peuvent maintenant s'apercevoir, se

reconnaître, constater la férocité et la déter-
mination des uns, la peur et la résignation
des autres.

— Feu!

Le bordé du brigantin s'ouvre au niveau
des sabords. Le tillac explose à dextre, pro-
pulsant bois de charpente, cadènes, caps-de-
moutons et porte-haubans dans toutes les
directions, libérant drisses et écoutes, et projetant à la mer deux gabiers qui grimpaient
les haubans du grand mât. Le temps que la
fumée se disperse, les hommes qui se tenaient
sur le pont ont disparu, réfugiés derrière les
manœuvres ou dans la cale, et restent invi-
sibles même si le galion domine le brigantin
en hauteur.

— Désarmés! se réjouit N'A-Qu'Un-Œil
dans un éclat de rire qui tient moins de l'amusement que de la rage. Voyez leur ligne de
canons: plus rien. L'entrepont s'est effondré.

— Combien ils sont? demande Poing-de-
Fer. Combien il en reste, de ces baugears?

— Peut-être qu'ils seront encore à deux
ou trois contre un quand on abordera,
s'inquiète Main-de-Graisse. Peut-être que la
tempête ne les a pas trop balayés du pont.

— Allons-y d'une dernière bordée avant
l'accostage, alors, s'amuse Cape-Rouge qui

jubile de son pouvoir sur le navire ennemi. Mais contentez-vous de nettoyer le tillac en prenant garde de démâter. J'ai dessein d'une dernière faveur à Feulion.

Dans le rire de leur capitaine, les pirates entendent bien que la faveur en question risque de ne pas réjouir leur adversaire.

La dernière salve fait plus de bruit et de fumée que de dégâts, car dans leur application à ne pas affecter les manœuvres du grand mât, les canonniers envoient leurs boulets trop haut et les perdent dans la mer, loin de l'autre côté du brigantin, n'arrachant qu'une section de bastingage, deux râteliers et la herpe de tribord.

— Là! Regardez! s'exclame Urbain. Il y a un homme qui émerge de la grande écoutille avec un drapeau blanc.

— Ils veulent rire? grogne N'A-Qu'Un-Œil. Ils ne vont pas amener les couleurs tandis qu'on s'amuse si bien?

Cape-Rouge se tourne vers Main-de-Graisse et cligne de l'œil.

— Eh bien, voilà ta réponse, mon petit Main-de-Graisse. Soit ils ne sont plus très nombreux, soit ils ont plusieurs blessés...

— Ou ils sont tout à fait démoralisés, achève N'A-Qu'Un-Œil dans un autre éclat de rire qui s'entend jusqu'au *Géhennes*, ce qui a pour effet de faire reculer le matelot qui agite le tissu blanc.

— Cap… cap'taine Cape-Rouge !

— Le parlementaire t'appelle, capitaine, raille Urbain.

— Je le reconnais, dit Lionel. C'est le second de Feulion.

— C'était, corrige Cape-Rouge qui, pour toute réponse au messager, soulève le pétrinal qu'il tient entre ses mains, la mèche allumée depuis un moment.

Il appuie l'arme contre sa poitrine et presse la détente en la maintenant serrée, le temps que la mèche boute le feu au pulvérin*. Après un moment qui paraît long, mais qui s'avère trop court pour permettre au second de Feulion de réagir, la bouche évasée du canon crache une poignée de mitraille qui fauche le marin en lui arrachant une partie du visage.

— Ça, grince Cape-Rouge pour lui-même, quoique tous ses hommes oient, c'est pour Lucas et la façon dont on a répondu à son offre de médiation.

— Alors, capitaine ? s'impatiente N'A-Qu'Un-Œil qui vient de s'emparer de l'un des grappins qu'il a fait transporter au bastingage. On y va ?

Cape-Rouge s'empare d'un crochet à son tour avant de rétorquer :

— Et comment ! À l'abordage !

Une fois les deux navires bien crochés, dans un cri unanime qui évacue autant leur fureur que leur plaisir de se battre, Lionel et Main-de-Graisse à l'arrière, mais non en reste, les quinze pirates de l'*Ouragan* montent à l'assaut du *Géhennes*.

Une trentaine d'hommes les accueillent sur le pont, émergeant des écoutilles ou de ce qui reste de la dunette, couteaux et sabres au poing, mais sans armes à feu, leur poudre étant sans doute rendue inutilisable par la tempête. Démoralisés, fatigués, éprouvés, sans chef pour les commander, ils contre-attaquent plus par réflexe que par envie d'en découdre.

Quoique violente, la bataille est rapide.

Inégale, surtout. Dès l'abordage, en quatre secondes à peine, quatorze détonations plus une flèche d'Urael étendent autant d'ennemis, morts ou mutilés, dans un tonnerre de mitraille et de fumée. Les quinze hommes épargnés reculent d'abord, puis contre-attaquent, lames pointées, mais luttant désormais à un contre un, face à un ennemi inspiré. Ils s'écroulent les uns après les autres, main tranchée, crâne ouvert ou poitrine transpercée.

— Feulion! Mais où est Feulion, Sang-Diou? répète Cape-Rouge chaque fois qu'il abat un adversaire, son sabre traçant dans l'air des arabesques sanguinolentes.

Lorsqu'il ne reste plus que trois ou quatre marins du *Géhennes* vivants — deux vaillants combattants qui ont bien failli venir à bout de Robert et de Joseph, et deux mousses qui se retranchaient sous les cadavres en feignant la mort —, les hommes de l'*Ouragan* se calment, plusieurs déjà se congratulant de la victoire, leur soif de sang apaisée, de même que leur envie de revanche. N'A-Qu'Un-Œil, Urbain, Joseph et Lionel, un pétrinal rechargé à la main, tiennent en joue les survivants.

Cape-Rouge, qui ne fait montre encore d'aucun contentement, d'aucune satiété, empoigne les cheveux de l'un des hommes et l'oblige à se mettre à genoux devant lui. Puis, il le frappe de la paume et du dessus de la main et de la paume encore en demandant:

— Feulion! Où est ton capitaine? Est-il déjà mort ou terré dans ce qui reste de sa cabine? Réponds!

— Y… y s'cache, m'sieur, répond le matelot. À fond d'cale, m'sieur.

— À fond de cale? s'étonne Cape-Rouge en continuant de frapper.

— Voilà bien sa place, ricane Urbain. Avec les rats.

— J'vous en prie, m'sieur, implore l'homme. Nous autres, on voulait pas. On voulait pas qu'y vous trahisse pour s'allier aux Espagnols. Nous autres, l'amnistie, on s'en foutait, m'sieur. On voulait juste continuer à larronner. Faut nous croire.

Ses compagnons approuvent de rapides mouvements de tête. Il poursuit :

— On se préparait à nous mutiner, m'sieur. On pouvait plus supporter ses injustices, à Feulion. Faut nous croire, m'sieur.

— Eh bien, je te crois, mon gars, réplique Cape-Rouge. Je te crois. Ça ne veut pas dire pour autant que tu ne mérites pas une sanction.

Et avant que le marin puisse argumenter davantage, le capitaine de l'*Ouragan* lui plante son sabre dans la gorge. Incontinent, un gargouillis accompagne le brouet de chair et de sang qui jaillit de la plaie, et le marin s'écroule, yeux exorbités, les mains sur son cou comme pour retenir la vie d'en sortir et la mort d'y entrer.

— Toi!

Le second marin s'incline aux pieds de Cape-Rouge.

— Me tuez pas, capitaine! Me tuez pas!

— Il reste de la poudre sur le *Géhennes*?

— N... non, capi... taine. L'entièreté de la poudre a été lavée par la tempête.

— C'est tout ce que je voulais savoir.

Sans plus de compassion que pour le premier, Cape-Rouge frappe le second marin à la gorge, ne gardant plus vivants que les deux mousses retranchés l'un contre l'autre, pleurant à chaudes larmes. Les yeux fixés sur eux, il appelle:

— Urbain, Urael, Grenouille!

— Capitaine?

Moitié en français, moitié en arawak, il ordonne:

— Descendez à fond de cale, et ramenez-moi ce fouisseur de bauge. Et quand bien même n'a-t-il plus de quoi charger une arme, prenez garde qu'il ne vous réserve quelque traîtrise.

— À vos ordres.

Toujours sans se retourner et restant face aux mousses prisonniers, Cape-Rouge écoute ses hommes descendre l'échelle de la grande écoutille. Il s'écoule une minute avant qu'on oie, venues de l'entrepont, étouffées par le mugissement des voiles et le clapotis du taille-mer, des voix qui interpellent, puis commandent, protestent, enfin qui se harpaillent. Lorsque Cape-Rouge se tourne enfin vers l'écoutille, c'est pour apercevoir Feulion au moment où il en émerge, poussé par Urael. Sans feutre ni foulard, son demi-scalp exposé à la vue, sa large cicatrice au sourcil plus rouge que jamais, le pirate cligne des yeux, indice qu'il se cachait depuis un bon moment déjà à fond de cale, dès l'apparition de l'*Ouragan* à l'horizon, sans doute. Son pourpoint, déchiré à la hauteur des boutonnières, est ouvert sur une chemise noire de sueur et de crasse, entrebâillée elle aussi pour exposer une poitrine maigre parsemée de poils frisottés.

— Cape-Rouge! s'exclame Feulion à la vue du capitaine. Mon cher ami Cape-Rouge! Comme je suis heureux enfin de te retrouver après ce sale tour qu'on a joué aux ânes d'Espagnols. Je savais bien que tu saurais profiter de mon initiative pour te…

Le reste de sa phrase se perd dans un gémissement pénible quand Poing-de-Fer lui administre un violent crochet à l'abdomen. Plié en deux, souffle coupé, Feulion vomit un bouillon jaunâtre qui gicle sur le pont et saute par-dessus les surbaux* pour couler dans la grande rue*.

— Merci, Poing-de-Fer, agrée Cape-Rouge. Je n'en puis plus d'ouïr ce sagouin jacter et mentir sans arrêt.

Il s'adresse à Urbain :

— Pour nous assurer de ménager nos oreilles, désormais, coupe-lui la langue.

— Ça me dégoûte un peu, capitaine. Il a tant vomi qu'il en a la bouche aussi infecte qu'une sentine*.

— Oh, ne t'en fais pas, rétorque N'A-Qu'Un-Œil qui jubile à la perspective de martyriser le maître du *Géhennes*. On va te le nettoyer. Lionel ! Mon fadrin, va me remplir ce seau d'eau de mer.

Le garçon s'exécute aussitôt tandis que Poing-de-Fer, Main-de-Graisse et Grenouille retiennent Feulion à genoux en lui enserrant les bras et la tête. Les autres marins font un demi-cercle autour de lui, ricassant, se réjouissant par avance du spectacle. Lorsque N'A-Qu'Un-Œil prend le seau d'eau des mains de Lionel, il ordonne aux jumeaux d'ouvrir la bouche du prisonnier, car maintenant qu'il a repris son souffle, celui-ci concentre ses efforts à maintenir les dents serrées. Robert hale donc sur les cheveux de Feulion tandis que Philibert, les deux paumes placées sur son menton, appuie de tout son poids. Le prisonnier résiste un moment, mais les mâchoires finissent par s'écarter brutalement, craquant au niveau de l'articulation à dextre.

Feulion pousse un hurlement à s'en fendre les bronches, quoique vite étouffé par le seau d'eau vidé en totalité dans sa bouche.

— Ça y est! s'amuse N'A-Qu'Un-Œil en rejetant le récipient. Le voilà maintenant tout propre; tu peux y aller.

Un sourire mauvais pour répondre au regard terrorisé du captif, Urbain plonge la main senestre dans la bouche maintenue ouverte et en relève la langue. Il la garde un moment serrée fort entre ses doigts pour la bien montrer à tous ceux qui l'entourent et pour profiter encore de l'horreur que renvoient les yeux de Feulion. Puis, en un va-et-vient lent pour jouir de chaque seconde, avec une lame par trop émoussée, mais qui n'est pas pour le mécontenter, il découpe l'organe en le déchirant autant qu'il le taille, remplissant la bouche honnie d'un bouillon sanguinolent. Feulion a beau tenter de se débattre, il est retenu de manière trop puissante par les pirates qui l'entourent.

Une fois la langue coupée, Urbain, sous la clameur joyeuse de ses compagnons, l'exhibe au bout de son poing ainsi qu'un trophée sanglant. Feulion, maintenant libéré par ceux qui le retenaient, se laisse crouler à terre, mains sur la bouche, vomissant cette fois le sang, un mugissement en guise de sanglots.

Cape-Rouge, qu'on n'a pas vu aussi satisfait depuis longtemps, s'approche de Feulion et, un pied sur sa tête pour mieux exprimer sa domination, pour mieux le mépriser, usant d'un ton lent aux syllabes détachées afin d'instiller plus de menace si c'est possible, proclame :

— Voici ce que j'ordonne afin que chacun sache, dans toutes les mers du Pérou, et jusqu'à l'Ancien Monde s'il m'est permis une si vaste diffusion, ce qu'il en coûte de trahir le capitaine Cape-Rouge. Tout ton équipage, ici mort, ne sera pas jeté à l'eau, afin que ce brigantin maudit transporte et diffuse autour de lui l'odeur de mort qu'il s'est attirée. On le sentira venir de loin du port où il paraîtra.

Cape-Rouge désigne du doigt les deux mousses qui pleurent toujours à l'écart.

— Eux, je leur laisse la vie sauve. Ils tiendront la barre pour mener le *Géhennes* là où il pourra aller. Avant de repartir, on réparera ton gouvernail afin qu'il tienne quelques jours dans une mer pas trop démontée. Mais pour éviter que, incommodés par l'odeur de mort, il prenne envie à tes mousses de jeter les cadavres, on leur clouera les mains sur la mèche du gouvernail. Comme ça, ils seront bien obligés de remplir leur office.

— Par Sainte Marie, Mère de Dieu! s'exclame l'un des garçons tandis que son compagnon demeure muet d'horreur.

— Que voilà un beau juron pour un papiste! ricane N'A-Qu'Un-Œil. Et, capitaine, puisque vous avez permis à Urbain de couper la langue du traître, laissez-moi, s'il vous plaît, le plaisir de clouer moi-même ces deux coquins à leur quartier.

— Non. Grenouille s'en chargera, répond Cape-Rouge. À toi, mon brave N'A-Qu'Un-Œil, je réserve le plus beau morceau, la meilleure part, que tu partageras avec Urael, Poing-de-Fer et moi.

— Dites, alors, s'impatiente le second, l'œil ravi, imité par les deux autres pirates concernés, même Urael à qui Urbain traduit à mesure comme il en a pris l'habitude.

— Avec nos autres compagnons, qui vont nous prêter main-forte pour hisser ce capon à la grande vergue, nous allons le crucifier sur son mât, mains bien cloutées, poignets bien liés, imitant en cela Notre Seigneur Jésus-Christ. Puisque les papalins aiment les icônes, il en deviendra une.

Un cri de joie, plus fort encore que les précédents, sourd de la poitrine des pirates, noyant le mugissement de terreur de Feulion. Ce dernier se recroqueville davantage sur le pont au point de ressembler à un bébé arraché trop tôt du corps éventré de sa mère. Jouissant de l'instant, Cape-Rouge poursuit:

— Mais on n'offrira pas à ce traître la faveur qu'a eue le Christ d'être transpercé au côté et de mourir trop tôt; on fera en sorte qu'il agonise lentement sur sa croix.

Encore un cri de joie.

— Mais pas si lentement, quand même, on n'est pas des barbares, ironise Cape-Rouge. Faudrait pas que les oiseaux le dépècent vivant. Je n'oublie pas que Feulion a été longtemps un ami et, en ce sens, il a droit à mon indulgence. Aussi, avant de regagner l'*Ouragan*, on lui octroiera une dernière faveur.

— Dites, capitaine! Dites! s'exclament les pirates qui n'en peuvent plus de plaisir et d'expectation.

— On lui cassera les jambes avec une massue. Ainsi, quand son corps s'affaissera, sans plus de soutien que ses bras au-dessus de lui, sa poitrine se comprimera au point qu'il mourra étouffé. Pas tout de suite, mais quand même. Ses souffrances prendront fin.

Même un coup de canon ne pourrait couvrir l'immense exclamation d'allégresse qui jaillit une dernière fois de la gorge des pirates.

Tard sur la fin de l'après-midi, quand les pirates de Cape-Rouge abandonnent le *Géhennes* avec un gouvernail rafistolé à la va-vite, deux hommes de barre cloués sur la mèche, son capitaine crucifié à la grande vergue, ses pieds chevillés de fer au grand mât, les deux jambes cassées sous le genou, quand ils ont bien transbordé vivres et guildive et tout ce que le brigantin pouvait receler qui leur convienne, quand ils ont détroussé les cadavres du peu qu'il leur semblait monnayable, ils regagnent leur bord en riant encore, fatigués mais satisfaits, en partie vengés, soulagés un brin de la peine d'avoir perdu leurs proches et leur fortune.

Sous un vent toujours grand frais, mais sur une mer moins grosse, l'*Ouragan*, amure bâbord par petit largue pour ne pas suivre la même route que le brigantin, s'élance vers le ponant face à un soleil carminé qui brosse d'autant de pourpre l'écume des vagues, symbole puissant de cette journée qui s'achève après avoir vu couler tant de sang. Marié aux cris de quelques pailles-en-queue égarés qui tournoient au sommet des perroquets, un chant s'élève, hardi, joyeux, poussé par une douzaine de voix qui faussent autant qu'elles se réjouissent :

« *Ohé du mousse, le vent te pousse,*
Les attaquèrent en chant,
Tuant, fendant, décapitant,
Sans même faiblir un instant. »

ÉPILOGUE

— Maintenant, Urbain, toi aussi, tu tues et tu y prends plaisir. Tu te complais même dans la souffrance d'autrui.

Cape-Rouge a parlé en arawak, exprimant ainsi la volonté de mêler Urael à la conversation. Les trois hommes sont accoudés à la lisse de tribord et observent l'étoile du berger se fondre lentement dans la ligne floue des eaux violettes. Près d'eux, un Lionel muet, fort de ses quinze ans et qu'on vient de promouvoir non plus mousse, mais matelot à part entière, pirate à part entière, se contente d'écouter, bercé par la musique de cette langue inconnue. Aujourd'hui, il a tué. Demain aussi, s'il le faut, il tuera.

— C'est vrai, j'y ai pris plaisir, répond Urbain après un moment, et lui aussi en arawak, un arawak plus châtié, mâtiné de mots caribes. Le sang qui coule me donne l'envie de plus de sang encore.

— La perspective de venger les siens donne aussi l'envie de plus de sang encore, précise Urael, lui qui, d'ordinaire, parle peu, s'attirant de la sorte un regard étonné de ses compagnons et de son capitaine.

— Revanche, représailles, oui, voilà des mots doux qui apaisent les sens, réplique Cape-Rouge. Qu'on soit blanc ou rouge, français ou amériquain, espagnol ou portugais...

Urbain a un haussement d'épaules tandis qu'il échappe un petit rire sans joie.

— On est vraiment devenus méchants, Arm... capitaine. On n'a plus rien à voir avec les matelots épris d'aventures et de découvertes de notre jeune âge.

— Plus rien, en effet.

— Et maintenant ? Tu veux venger Lilith de la destruction faite par les Espagnols ?

Cape-Rouge inspire bruyamment dans un long soupir accompagné d'une moue. Il entrouvre la bouche pour répondre, mais prend le temps d'admirer une étoile filante qui brille d'un éclat vif avant de se scinder en deux et de disparaître près de Vénus.

— Si les Espagnols ne nous avaient pas attaqués, déclare-t-il enfin, aurais-je exigé de mes gens de se protéger de l'ouragan dans les grottes ? Ou aurions-nous simplement cherché l'abri dans nos maisons ?

— Tu te demandes qui, de toi ou des Espagnols, est responsable de la disparition des habitants de Baie du Diable ?

— Même sans de Navascués, Baie du Diable aurait été détruite.

— La tempête n'y aurait point mis le feu, rétorque Urael d'une voix calme, mais dure ainsi qu'une hache de silex. Tu devrais rêver de pourfendre l'Espagnol.

Cape-Rouge tourne la tête et observe le profil aquilin du Wayana qui se découpe sur la lumière de la voûte céleste. La lueur mourante du couchant redessine ses traits d'une ligne fine pareille à un damas tissé de fils d'or.

— Tu persistes toujours à vouloir faire couler le sang en mémoire des tiens ?

— C'est ma seule raison de vivre, répond le Naturel.

— Et Lionel et moi, on a un vieux compte à régler avec le *capitán*, poursuit Urbain. De plus, on aimerait bien mettre la main sur cette fortune qu'il pille aux Indiens.

Il n'attend pas que Cape-Rouge réplique avant de poursuivre :

— Tu as perdu ton royaume, capitaine ; tu as perdu ton monde, ta fortune. Tout cela n'est pas le fait du démon Juracán — du moins, pas en sa totalité —, mais bien de l'initiative du maître de Virgen-Santa-del-Mundo-Nuevo.

— Bien, finit par admettre Cape-Rouge. Il y a un besoin de vengeance qui nous baigne tous, et la perspective de récupérer le trésor que nous avions accumulé sur Lilith... Il y a aussi tous ces scélérats qui se sont laissé tenter par la prime sur ma tête et qui se sont liés à de Navascués. Nous nous sommes revanchés de Feulion, mais pas encore des autres.

— S'il ne tient qu'à cela pour te convaincre d'attaquer Virgen-Santa-del-Mundo-Nuevo par la suite, je veux bien qu'on casse du renégat avant, rigole Urbain.

— On procédera par étapes, un baugear à la fois, de Navascués à la fin.

— Il ne faudra pas trop tarder, capitaine. N'oublie pas qu'ils érigent un préside.

— Préside ou pas, on a besoin de refaire nos forces, de trouver des matelots, des hommes de mer, prêts à se battre aussi, qui n'ont pas peur du sang, qui ont du courage.

— La perspective des richesses de la cité d'or saura donner du courage même au moins hardi.

— Il nous faudra beaucoup d'armes.

— Je t'ai dit que je pouvais t'en procurer.

Cape-Rouge abandonne l'horizon pour se tourner vers le pont, les coudes vers l'arrière, les avant-bras appuyés au plat-bord. Il observe d'un œil attendri la douzaine de pirates qu'il lui reste et qui s'affairent autour des manœuvres : Philibert à la barre, Robert aux écoutes, Joseph qui, en dépit de l'arthrite, a repris du service dans les haubans en compagnie de Grenouille et de Poing-de-Fer, Main-de-Graisse aux râteliers de proue, N'A-Qu'Un-Œil qui supervise tout ce monde…

— Ils sont vaillants, mais peu nombreux, échappe-t-il malgré lui.

— Un homme inspiré peut vaincre mille guerriers lassés, rétorque Urael qui ne quitte pas le couchant des yeux.

Cape-Rouge combat tout à coup un tic des sourcils, comme si, tout soudain, il était en proie à une vive émotion. Il mord sa lèvre inférieure ainsi qu'on se retient de rire ou de pleurer puis, après plusieurs secondes, annonce :

— Je connais mille guerriers. Peut-être pas lassés, mais qui auraient besoin d'un peu d'inspiration. Ils nous suivraient peut-être.

Urbain tourne un regard surpris vers son capitaine.

— Mille guerriers ? Que racontes-tu ?

— Mille hommes, je te dis, avec à leur tête un cacique à qui je dois beaucoup de choses.

— Un cacique ? Un roi indien ?

— Une vieille connaissance. Il serait peut-être heureux de me revoir. Il est possible qu'il joigne son peuple à nous en partage des richesses de la cité d'or.

Urbain fait une moue pour exprimer sa contrariété.

— S'il faut partager le trésor entre mille, il ne restera guère à chacun.

— Si la cité est aussi riche que tu le prétends, il en subsistera bien suffisamment pour tous. Ce n'est pas ce qui m'embête.

— Qu'est-ce alors ?

Cape-Rouge lance à Urael un regard à la dérobée, comme s'il craignait que le Naturel ne devine à l'avance ce qu'il va répondre. Comme s'il craignait une réaction trop vive. Mais le Wayana, calme et silencieux, continue d'observer le ponant de plus en plus assombri. Cape-Rouge répond enfin :

— Les guerriers à qui je pense possèdent un courage égal à leur férocité. Ils seraient pour nous des alliés admirables. Toutefois...

— Toutefois?

— Ce sont des Kalinagos. Des Caribes.

— Et?

— Des cannibales.

À suivre...

GLOSSAIRE

Abattre: Dans le cas d'un navire, changer de route ou se rapprocher du vent arrière.

Alférez: Sous-lieutenant. Grade juste en dessous du *teniente* en espagnol.

Allège: Petite embarcation qui servait au transbordement des marchandises entre les navires et le quai.

Amure: Côté du navire d'où souffle le vent. Le terme «virer bâbord amures» signifie que le navire s'est placé par bâbord, c'est-à-dire la gauche, de façon à mieux profiter du vent.

Anguillade: Châtiment qui consiste en coups de fouets donnés avec des lanières faites de peau d'anguille.

Anolis: Espèce de lézard d'Amérique.

Appel (de l'ancre): Action de tourner autour du câble d'ancre (en parlant d'un navire).

Aune: Ancienne unité de mesure des étoffes.

Baugear: Insulte. Celui qui se nourrit dans la bauge: cochon.

Béliné: Jeu de cartes de l'époque.

Bonnette: Petite voile ajoutée à la voile principale.

Braquemart: Épée courte à lame large et lourde.

Cagnard: Abri fait sur le pont d'un navire, au moyen d'une toile goudronnée, pour les matelots de service qui veulent se préserver de la pluie et du froid.

Capon: Palan pour hisser l'ancre.

Cargues: Câbles qui permettent d'attacher une voile.

Charlesbourg-Royal: Aujourd'hui, Cap-Rouge près de la ville de Québec.

Chébec: Petit bateau à trois mâts, gréé de voiles latines.

Circumnaviguer: Naviguer autour du monde.

Corsarios luteranos: Protestants (du nom de Martin Luther, moine allemand initiateur de cette révolte religieuse). Les Espagnols étaient catholiques.

Côte (faire): Faire naufrage sur le bord d'une terre.

Coup: Environ une demi-heure.

Course: Pratique de la guerre maritime. Le roi donnait à de simples particuliers une lettre autorisant d'armer en guerre des navires de commerce pour attaquer les navires d'une nation ennemie.

Croustelevé: Insulte. Galeux, vérolé, laid…

Culer (à): Marcher par la poupe, l'arrière.

Dextre: Côté droit. Par opposition à «senestre», côté gauche.

Doigts de la main: Pouce, indice (index), moyen (majeur), médical (annulaire), auriculaire.

Drissée: Groupe de pavillons, constituant un signal, envoyé sur une drisse.

Échelle de coupée: Ouvertures pratiquées en échelons dans le bastingage et qui permettent de monter à bord.

Écoute: Cordage.

Embarquer: Quand un navire embarque, c'est que l'eau passe par-dessus le bastingage.

Embraquer: Raidir, haler un cordage.

Empan: Ancienne mesure de longueur équivalent à la largeur d'une main ouverte.

Espinay: Jeu de cartes de l'époque.

Estrapade: Châtiment qui consiste à jeter à la mer une personne rattachée par une corde à la grande vergue.

Étai: Cordage.

Étambot: Partie arrière de la coque.

Fadrin: Jeune matelot.

Ferlées: Voiles roulées et pliées autour de leur vergue.

Fils-de-rien: Insulte visant les nobles espagnols, les hidalgos, contraction de *hijo de algo*, «Fils de quelque chose».

Fond (envoyer un navire par le): Faire couler un navire. Le naufrager.

Fuir (navire qui fuit): Allure d'un navire avec vent arrière par gros temps.

Galuchat: Peau de certains poissons.

Genêt: Cheval espagnol.

Hacquebute: Long fusil qu'on posait sur un appui (chevalet, mur…) pour tirer. Des crocs ou des crochets servaient à retenir l'arme et à amortir le recul.

Hochelaga: Ancien nom de l'emplacement de l'actuelle ville de Montréal.

Incontinent: Aussitôt.

Kapon: Ethnie que l'on retrouve au nord du Brésil, en Guyane et au Venezuela.

Lisse: Barre horizontale servant d'appui ou de garde-fou. On retrouve ainsi les lisses de pavois, de dunette, de bastingage, etc.

Livarde: Perche qui permet de tendre la voile.

Lofer: Serrer le vent, voguer face au vent.

Marc: Ancienne unité de mesure des poids des métaux précieux.

Musse-pot: En cachette.

Onques: Jamais.

Pain (perdre le goût du): Mourir.

Papalins: Terme péjoratif pour désigner les catholiques.

Parpaillots: Terme péjoratif pour désigner les protestants. À l'époque, en France, le mouvement était mené par Calvin. Donc, on qualifiait aussi les protestants français de «calvinistes» ou encore du terme «huguenots».

Pérou: Terme utilisé par les premiers corsaires français pour désigner les Antilles. Lorsque les pirates désignent une terre au sud des îles du Pérou, on peut supposer qu'elle se situe sur les côtes du Venezuela, du Guyana ou du Suriname actuels. Cela n'a donc rien à voir avec le Pérou que nous connaissons.

Physétère: Baleine. Dans l'imaginaire des premiers marins, elle prenait parfois l'apparence d'un monstre marin.

Potron-minet: Lever du jour.

Pulvérin: Poudre très fine.

Raguer: User par frottement.

Relâcher: Rentrer dans un port pour se mettre à l'abri.

Rets: Filet, entre autres, de pêche.

Rivière Sainte-Croix: Rivière Saint-Charles, près de Québec.

Rue (grande): Grande écoutille.

Safran: Surface du gouvernail sur laquelle s'exerce la pression de l'eau.

Sainte-barbe: Pièce de la cale où l'on range la poudre et les boutefeux.

Senestre: Côté gauche. Par opposition à «dextre», côté droit.

Sentine: Partie de la cale d'un bateau où s'amassent les eaux usées.

Stadaconé: Ancien nom de l'emplacement de l'actuelle ville de Québec.

Surbaux: Pièces de bois qui forment l'encadrement des écoutilles.

Tire-veille: Cordage bordant l'échelle de coupée d'un navire et servant de rampe.

Traînegaine: Insulte. Traîneur de sabre.

Verre pleurant: Plein à ras bord.

Yare: Mot indigène qui signifie «démon».

Zagaie: Lance utilisée par les guerriers amérindiens.

TABLE DES MATIÈRES